FUNDAMENTOS DE
PESQUISA
CLÍNICA

Tradução:

Soraya Imon de Oliveira

Revisão técnica:

Airton Tetelbom Stein

Médico de família e comunidade, epidemiologista. Professor titular do Departamento de
Medicina Preventiva da Universidade Federal de Ciências da Saúde de Porto Alegre (UFCSPA).
Professor adjunto de Saúde Coletiva da Universidade Luterana do Brasil (Ulbra).
Coordenador do Núcleo de Avaliação em Tecnologia do Grupo Hospitalar Conceição.
Mestre em Saúde Comunitária pela London School of Hygiene and Tropical Medicine.
Doutor em Clínica Médica pela Universidade Federal do Rio Grande do Sul (UFRGS).

E79f   Esteitie, Rania.
          Fundamentos de pesquisa clínica / Rania Esteitie ;
     [tradução: Soraya Imon de Oliveira ; revisão técnica: Airton
     Tetelbom Stein]. – Porto Alegre : AMGH, 2015.
     xii, 104 p. : il. ; 23 cm.

     ISBN 978-85-8055-473-1

     1. Pesquisa clínica. 2. Epidemiologia. I. Título.

                   CDU 616-036.22:167

Catalogação na publicação: Poliana Sanchez de Araujo – CRB 10/2094

Rania Esteitie, MD, BS in Biology

Resident Physician
Department of Internal Medicine
St. Elizabeth's Medical Center
Boston, Massachusetts

Atuação anterior:
Post-Doctoral Research Fellow and Resident Physician
Department of Internal Medicine
Georgetown University Hospital
Washington, District of Columbia

FUNDAMENTOS DE
PESQUISA CLÍNICA

AMGH Editora Ltda.

2015

Gerente editorial: *Letícia Bispo de Lima*

Colaboraram nesta edição:

Editora: *Mirela Favaretto*

Arte sobre capa original: *Kaéle Finalizando Ideias*

Preparação de originais: *Matheus Silveira Hugo*

Leitura final: *Rebeca dos Santos Borges*

Editoração: *Techbooks*

Nota

A medicina é uma ciência em constante evolução. À medida que novas pesquisas e a experiência clínica ampliam o nosso conhecimento, são necessárias modificações no tratamento e na farmacoterapia. A autora desta obra consultou as fontes consideradas confiáveis, em um esforço para oferecer informações completas e, geralmente, de acordo com os padrões aceitos à época da publicação. Entretanto, tendo em vista a possibilidade de falha humana ou de alterações nas ciências médicas, os leitores devem confirmar essas informações com outras fontes. Por exemplo, e em particular, os leitores são aconselhados a conferir a bula de qualquer medicamento que pretendam administrar, para se certificar de que a informação contida neste livro está correta e de que não houve alteração na dose recomendada nem nas contraindicações para o seu uso. Essa recomendação é particularmente importante em relação a medicamentos novos ou raramente usados.

Dedicatória

Ao meu amado esposo, Yousef: por tornar a minha vida "significativamente" melhor apenas por estar nela. A minha bebê, Talia: que este livro seja o primeiro passo rumo a uma vida de conhecimento.

A minha família incrível: onde o coração não conhece a distância. Mãe: por seu incrível apoio eterno. Pai: a pessoa mais inteligente que conheço. Minhas irmãs incríveis (Farah e Yasmine): que me ensinaram o significado de amor incondicional e fomentaram em mim o espírito do riso.

AGRADECIMENTOS

Gostaria de agradecer a Fahad Barakat: minha compreensão de estatística seria quase nula se não fosse sua ajuda.

PREFÁCIO

A medicina baseada em evidências (MBE) transformou-se em um aspecto vital da prática médica atual. A diversidade de novos conhecimentos médicos, pesquisas e tecnologia inovadora leva a consultas constantes à literatura médica, em busca dos avanços mais recentes. A maioria das recomendações e diretrizes clínicas atuais para o diagnóstico e tratamento médico tem origem na pesquisa. Desta forma, para implementá-las no serviços de saúde é preciso primeiro entendê-las.

O objetivo deste livro é orientar estudantes e residentes de medicina interessados em realizar projetos de pesquisa no decorrer de sua formação médica. O livro serve como um "minimentor" em si e por si, com inúmeras dicas e diretrizes que estudantes e residentes de medicina precisam saber para concluir um projeto de pesquisa dentro de um intervalo de tempo limitado. É destinado para ser usado em todas as instituições médicas que praticam a MBE, como *kit* para iniciantes interessados em realizar um projeto de pesquisa. Os tópicos incluídos enfocam os tipos de estudos científicos passíveis de serem concluídos com base em um prazo específico, como ler a literatura médica, como organizar e analisar dados, e como delinear seu próprio estudo, além de um guia simples de compreensão e implementação de estatística médica.

O assunto é apresentado com uma abordagem prática e teórica. Este manual tem por base um levantamento que conduzi, no qual perguntei a residentes e estudantes o que facilitaria a condução de pesquisas no decorrer de seu treinamento. O principal objetivo é possibilitar que eles economizem o tempo que gastariam com pesquisas intermináveis em *websites*, na busca de uma abordagem científica, tendo tudo que necessitam combinado em um pequeno manual. Não se trata absolutamente de uma obra literária prolixa e complicada. O manual contém inúmeros fluxogramas, algoritmos, diagramas e tabelas que ajudarão a ilustrar o que pretendo dizer, em vez de texto em excesso.

Este livro é direcionado, principalmente, para estudantes e residentes de medicina. Muita instituições defendem a adoção de uma abordagem com base em evidências em seu ensino médico e, por este motivo, estão enfatizando a realização de pesquisas durante os anos de treinamento. Como o tempo é essencial, este manual reúne tudo que é preciso saber sobre pesquisa, incluindo sua leitura, compreensão e, por fim, execução, de modo a permitir que seus usuários consigam cumprir os requisitos de seu treinamento.

Eu gostaria de agradecer aos meus mentores científicos da Universidade de Chicago e do National Institutes of Health, sem os quais eu jamais teria tido as incríveis oportunidades de aprendizado que tive a sorte de encontrar. Ao Dr. Baroody, Dr. Pinto e Dr. Togias – obrigada por me mostrarem o quanto eu não sabia sobre pesquisa, o que foi a minha inspiração para escrever este livro!

Rania Esteitie

SUMÁRIO

1

INTRODUÇÃO

POR QUE MEDICINA BASEADA EM EVIDÊNCIAS?

A medicina baseada em evidências consiste no uso consciente, explícito e criterioso das melhores evidências atualmente disponíveis para tomar decisões sobre o tratamento de pacientes individuais.
—David l. Sackett et al., BMJ. 1996; 312:71

A medicina baseada em evidências (MBE) é um campo que vem se desenvolvendo e prosperando, e que agora se transformou na regra da prática médica da atualidade. É definida como a integração do conhecimento clínico individual com as últimas evidências científicas e os valores do paciente (Fig. 1.1).[1] Envolve uma abordagem sistemática de problemas clínicos, voltada para a identificação de estratégias efetivas e para a eliminação daquelas que não funcionam, são prejudiciais ou que comprovadamente não promovem benefícios, com base em evidências científicas.[2] A MBE promove o pensamento crítico. Demanda que a efetividade das intervenções clínicas, a acurácia e a precisão dos exames diagnósticos, e o poder dos marcadores prognósticos sejam minuciosamente investigados, bem como tenham a sua utilidade comprovada. A MBE requer que os clínicos tenham a mente aberta, procurando e experimentando novos métodos de efetividade cientificamente comprovada, bem como descartando os métodos comprovadamente ineficientes ou perigosos. Ao enfatizar fortemente a MBE, é portanto essencial compreender seus elementos para poder usá-la na prática.

A "evidência" indica qual é a melhor prática atualmente disponível e esta pode mudar em questão de dias a anos. Aplicar o conhecimento adquirido com amplos estudos clínicos no tratamento de pacientes promove a consistência do tratamento e resultados ótimos, ajuda a estabelecer os padrões nacionais de tratamento de pacientes e estabelece os critérios para medir e recompensar a prática médica com base no desempenho.[3] A implementação dos princípios da MBE, que se fundamenta nas regras de evidência e pesqui-

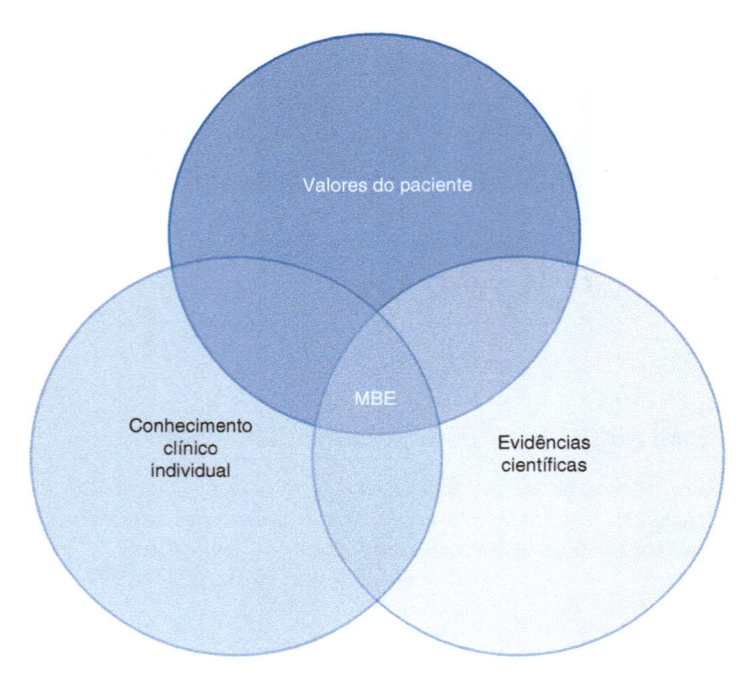

FIGURA 1.1 Diagrama de Venn da medicina baseada em evidências (MBE). A MBE é definida como a união do conhecimento clínico individual com as últimas evidências científicas e os valores do paciente.

sa, requer o comprometimento dos cursos de medicina, secretaria de saúde, conselhos regionais de medicina, médicos, farmacêuticos, associações de profissionais e planos de saúde suplementar. Esse tipo de comprometimento pode se dar de várias formas, como a ênfase em projetos de pesquisa, clubes de revista, didática, "*round*" de equipe e, enfim, avaliações individualizadas.

Os elementos da MBE são resumidos em cinco etapas simples:

1. **Fazer uma pergunta com escopo:** uma das etapas mais difíceis na prática médica, em geral, é traduzir um problema clínico do paciente em uma pergunta bem estruturada. Muitas questões podem surgir diante da confrontação com um quadro clínico. Entretanto, é preciso desenvolver habilidades que permitam converter esta informação em uma pergunta clínica dirigida e relevante para o problema que se tem nas mãos. A etapa seguinte é como exprimir essa pergunta com uma frase, de modo a facilitar a procura. Sackett *et al.*[1] desenvolveram uma estrutura útil com a qual propõem que uma pergunta clínica eficiente deve abordar quatro elementos principais, abreviados como PICO: o paciente ou população (P), a intervenção ou exposição (I), a comparação (C) e os desfechos (*outcomes*) clínicos (O) asso-

ciados. Todos esses elementos constituem o método PICO de elaboração de uma pergunta clínica, que se mostre útil não só para fins de questionamento clínico como também para a análise da literatura. Um elemento adicional pode ser incluído a essa estrutura, para consideração do tempo (T) (PICOT). Um exemplo de implantação desse método é descrito a seguir:

Imagine que um paciente de 50 anos de idade, sem fatores de risco, chega a sua clínica para uma consulta e lhe pergunta se deve tomar ácido acetilsalicílico para prevenir a doença cardiovascular. Seguindo o método PICOT, você faz a seguinte análise:

P: adulto saudável
I: ácido acetilsalicílico
C: não usar ácido acetilsalicílico
O: doença cardiovascular
T: 5 anos

Sendo assim, a pergunta que você deveria fazer é: no caso de um indivíduo sadio, que não apresenta fatores de risco nem uma doença definida, qual seria o benefício proporcionado pelo uso do ácido acetilsalicílico *versus* a não utilização de ácido acetilsalicílico na prevenção da doença cardiovascular, em um período de cinco anos? Esta pergunta, agora dirigida, pode ser incluída no paradigma da MBE para fornecer ao paciente o melhor tratamento. O método PICOT é descrito em detalhes no Capítulo 2.

2. **Descobrir a evidência por trás da pergunta:** frequentemente, isto é feito pesquisando a literatura por meio dos bancos de dados nacionais*, diretrizes clínicas e artigos de periódicos. Combinar os parâmetros vigentes e testados à experiência e ao conhecimento de alguém é o método mais efetivo para encontrar a melhor abordagem para o paciente deste profissional. A habilidade de pesquisar nesses bancos de dados de maneira efetiva é também um aspecto importante da MBE, uma vez que é importante ser capaz de extrair os pontos relevantes dos dados pertinentes a sua pergunta. Os princípios de pesquisa básicos incluem:

a. Converter um problema clínico em uma pergunta (que consiste na primeira etapa da MBE).
b. Gerar palavras-chave apropriadas.
c. Escolher um banco de dados bibliográfico. Existem numerosos bancos de dados *online*, entre os quais PubMed, MEDLINE, EMBASE e Cochrane. A *Cochrane library* inclui um banco de dados de revisões sistemáticas, estudos controlados e resumos, que é atualizado a cada

---

* N. de R.T.: No Brasil, há o LILACS (lilacs.brsalud.org) e o SISREBRATS (200.214.130.94/rebrats/).

três meses por um grupo de colaboradores internacional e disponibilizado pela internet.

d. Conduzir a pesquisa. No nível básico, um método eficiente consiste em combinar palavras ou termos individuais usando os operadores booleanos "AND" e "OR".[4] Quando você combina dois termos, o "AND" permite que apenas os artigos contendo ambos os termos sejam recuperados, enquanto o "OR" permite que artigos contendo qualquer um dos dois termos sejam recuperados. Os resultados de uma pesquisa, às vezes, podem incluir inúmeros artigos que atendem aos parâmetros da pesquisa e, neste caso, esses artigos podem passar por mais outra busca com base nas preferências do usuário, como o período temporal (p. ex., 2000 a 2013) e os tipos de estudo (p. ex., somente ensaios controlados randomizados).

3. Analisar a evidência: apesar da abundância de artigos científicos disponível, a qualidade desse material é variável. Após a devida compilação de informações e evidências, a etapa seguinte é testá-las quanto à validade, à aplicabilidade e à relevância clínica. Isto é essencial, pois cada quadro clínico é distinto e único, e requer um cuidadoso ajuste fino que garanta a aplicabilidade e o valor deste material para o cenário clínico em questão e, especialmente, para os desejos do próprio paciente. Existem diversas ferramentas para análise de artigos científicos. Um exemplo são as ferramentas desenvolvidas pelo Critical Appraisal Skills Programme (CASP), de Oxford, no Reino Unido. Entre esses recursos, há ferramentas para análise de ensaios controlados randomizados, revisões sistemáticas, estudos de caso-controle e estudos de coortes (isto também é discutido no Capítulo 2).[5] Outros meios adicionais de analisar evidências também apresentam "níveis de evidência" e "gradação da força das recomendações".

4. Implementar a evidência: a primeira etapa consiste em determinar se esta evidência pode ser aplicada na prática clínica. Em seguida, o profissional deve levar em conta sua própria experiência às evidências pertinentes e orientar o paciente na tomada de uma decisão informada usando os dados disponíveis. As evidências científicas incluem observações sistemáticas de estudos realizados em laboratório, estudos fisiopatológicos preliminares e pesquisa clínica aplicada mais avançada, como os ensaios controlados randomizados.[6] Essa decisão também deve considerar os custos e a disponibilidade do tratamento em um serviço de saúde específico.

5. Avaliar o desempenho: uma vez tomada a decisão, a última etapa consiste em avaliar se essa decisão foi, de fato, a mais apropriada (Fig. 1.2).

A MBE, portanto, ajuda a melhorar a qualidade do tratamento, a avaliação do paciente, os desfechos do tratamento, a adequação do tratamento, a eficiência e efetividade, e a contenção de custos por meio da melhora da razão custo-benefício. Sendo assim, é essencial que todos os clínicos desenvolvam essas habilidades.

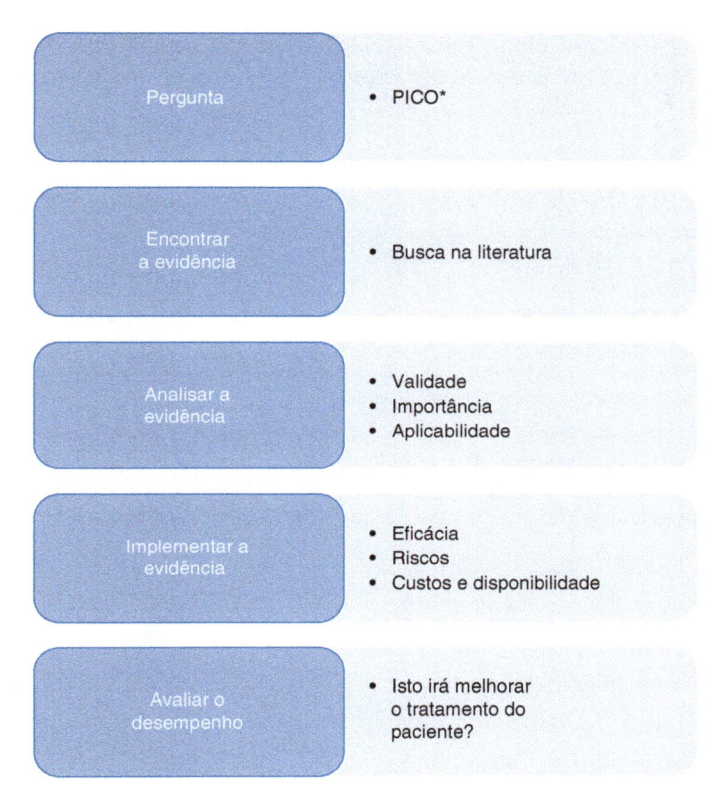

FIGURA 1.2 Abordagem para medicina baseada em evidências (MBE). A MBE envolve cinco etapas principais: (1) fazer uma pergunta dirigida usando o método PICO (*detalhado no Capítulo 2); (2) encontrar a evidência por trás da pergunta via busca na literatura; (3) analisar a evidência e testá-la quanto à validade, à aplicabilidade e à relevância clínica; (4) aplicar a evidência na forma de tomada de decisão; e (5) avaliar o desempenho no tratamento do paciente.

Permanecer "em voga" e atualizado com as recomendações e diretrizes clínicas vigentes ainda é um desafio. É especialmente difícil para os alunos e residentes de medicina, devido às longas horas de trabalho e aos horários de estudo, encontrar tempo para se integrar a esse paradigma. Embora a maioria dos programas recentemente tenham passado a enfocar a MBE como parte da pesquisa, ela ainda é um campo muito destacado primariamente em programas competitivos.

O propósito deste livro é fornecer um guia de pesquisa aos alunos e residentes de medicina, para ajudá-los a entender os elementos da pesquisa de uma forma prática e auxiliá-los a traduzir suas próprias questões e problemas clínicos em projetos de pesquisa sólidos. Treinar médicos adeptos da avaliação da literatura com uma perspectiva de MBE permitiria proporcionar o melhor tratamento médico com o menor custo e alcançar desfechos ótimos.

Referências

1. Sackett DL, Rosenberg WM, Gray JA, Haynes RB, Richardson WS. Evidence based medicine: what it is and what it isn't. *BMJ*. 1996;312:71.
2. Akobeng AK. Principles of evidence based medicine. *Arch Dis Child*. 2005;90: 837-840.
3. Lewis SJ, Orland BI. The importance and impact of evidence-based medicine. *J Manag Care Pharm*. 2004;10(5 Suppl A):S3-S5.
4. Craig JV, Smyth RL. *The Evidence-Based Manual for Nurses*. London: Churchill Livingstone; 2002.
5. Critical Appraisal Skills Programme. Appraisal Tools. http://www.casp-uk.net/ find-appraise-act/appraising-the-evidence/
6. Haynes RB, Devereaux PJ, Guyatt GH. Clinical expertise in the era of evidence-based medicine and patient choice. *Evid Based Med*. 2002;7:36-38.

COMO CLASSIFICAR OS ESTUDOS CIENTÍFICOS

A qualidade e a confiabilidade de um estudo são influenciadas pelo tipo de delineamento selecionado.[1] Essa seleção é determinada pela pergunta específica a ser respondida e auxilia a descrever a utilidade de um estudo, bem como a simplicidade de sua interpretação. Em princípio, a pesquisa médica é classificada em pesquisa primária e pesquisa secundária. Pesquisa primária: envolve a participação direta dos autores e pode ser classificada em estudos intervencionistas (ou experimentais) e não intervencionistas (ou observacionais) (Fig. 2.1). Pesquisa secundária: resume uma ou mais fontes primárias (em forma de revisões ou metanálises), frequentemente para fornecer uma visão geral sobre um tópico médico. Esse tipo de pesquisa é característico de estudos de pesquisa primária.

A pergunta de pesquisa que se tem em mãos determina qual estudo científico seria o melhor para responder a questão. Exemplificando, para determinar a causalidade, o melhor estudo a ser usado seria um ensaio clínico randomizado (ECR), em oposição ao estudo transversal que não pode determinar a causalidade. Para estudar desfechos raros, os estudos de caso-controle são os melhores a serem usados. Em prol do tempo e do dinheiro, os estudos transversais, séries de casos e metanálises tendem a ser os métodos mais utilizados (Tabela 2.1).[2,3]

A escolha do tipo de estudo também depende das ferramentas disponíveis no momento. Em um estudo de caso-controle, os pesquisadores começam pelos indivíduos com a doença e indivíduos-controle, voltando no tempo para determinar se houve ou não exposição. Em uma coorte retrospectiva, os pesquisadores começam pela doença e voltam no tempo para determinar se houve ou não exposição. Em uma coorte prospectiva, os pesquisadores começam pelos grupos expostos e grupos não expostos, e determinam se a doença ocorre posteriormente (Fig. 2.2).

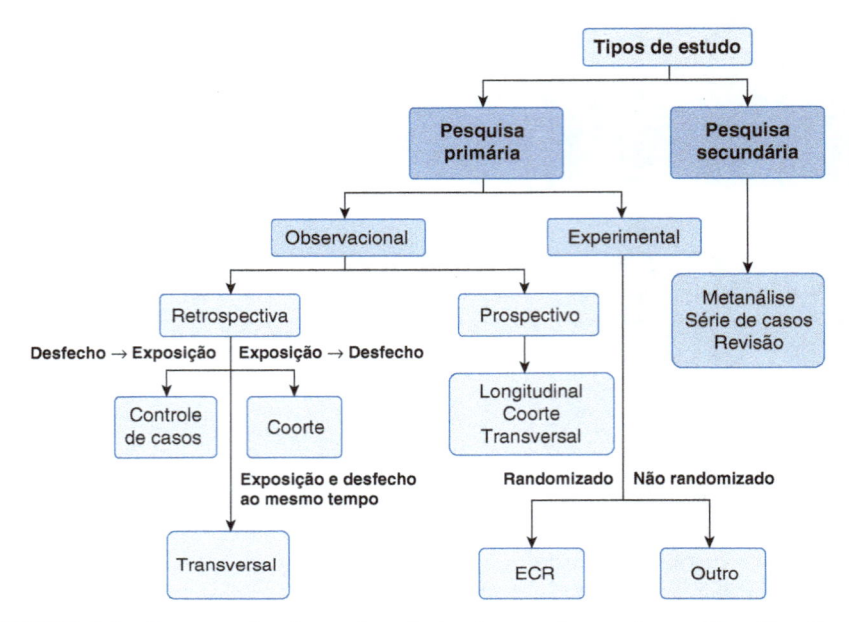

FIGURA 2.1 Resumo dos tipos de estudo. A pesquisa pode ser classificada em primária (observacional *vs.* experimental) ou secundária (metanálise, série de casos). As classificações adicionais dependem de como e quando os dados são coletados e se a randomização foi feita.

ESTUDOS INTERVENCIONISTAS E EXPERIMENTAIS

O objetivo de um estudo clínico intervencionista é comparar os procedimentos de tratamento junto a uma população de pacientes que deve exibir o mínimo possível de diferenças internas, à parte do tratamento. Para tanto, são realizadas medidas apropriadas, particularmente por meio da alocação randômica de pacientes aos grupos, evitando, assim, que o resultado apresente viés. As recomendações internacionais para o relato de ensaios clínicos randomizados podem ser encontradas na declaração CONSORT (Consolidated Standards of Reporting Trials) (www.consort-statement.org).[4]

O estudo com cegamento (*blinding*) é outro método conveniente para evitar viés. Existe uma distinção entre o estudo com um cegamento único e o estudo duplo-cego. No estudo com cegamento único, o paciente desconhece o tratamento que está recebendo. No estudo duplo-cego, nem o paciente nem o pesquisador sabem qual tratamento é planejado. Assim, o estudo duplo-cego garante que o paciente ou os grupos de terapia sejam manejados e observados do mesmo modo.

TABELA 2.1 Vantagens e desvantagens de diferentes delineamentos de estudo científico

Tipo	Vantagens	Desvantagens	Estatísticas
Ensaio clínico randomizado	Mede a causalidade, controla fatores de confusão não mensurados	Caro, demorado, perda no seguimento	
Coorte (prospectivo ou retrospectivo)	Alguma evidência de causalidade, múltiplos desfechos de uma única exposição	Caro, ineficiente para desfechos raros, perda no seguimento, requer seguimento prolongado ou população ampla, não pode controlar fatores de confusão não mensurados	Incidência, RR, RC
Casos-controle	Desfechos raros, eixo invertido (desfechos → exposição), pode gerar hipótese (múltiplos FR explorados)	Não mede causalidade, viés de seleção, viés de memória, não mede incidência nem prevalência	RC
Transversal	Rápido, econômico, sem perda no seguimento, possibilidade de associações	Não permite estudar a causalidade, não estuda desfechos raros	Prevalência
Metanálise	Poder estatístico maior, análise de dados confirmatória Maior capacidade de extrapolação para a população geral afetada Considerada uma fonte baseada em evidência	Difícil e demorada para identificar estudos apropriados Nem todos os estudos fornecem dados adequados para fins de inclusão e análise Requer técnicas estatísticas avançadas Heterogeneidade das populações do estudo	
Série de casos	Descreve tendências, econômico, simples		

RC = razão de chance; RR = risco relativo.

Outro método de delineamento de estudos intervencionistas consiste em usar um delineamento de estudo paralelo. Um estudo paralelo é um tipo de estudo clínico no qual dois grupos de tratamentos, A e B, são estabelecidos e no qual um grupo recebe apenas A, enquanto o outro grupo recebe somente B. Esse estudo difere do estudo cruzado, em que um grupo recebe primeiro o tratamento A e depois o tratamento B, enquanto o outro grupo recebe o tratamento B seguido do tratamento A (Tabela 2.2).

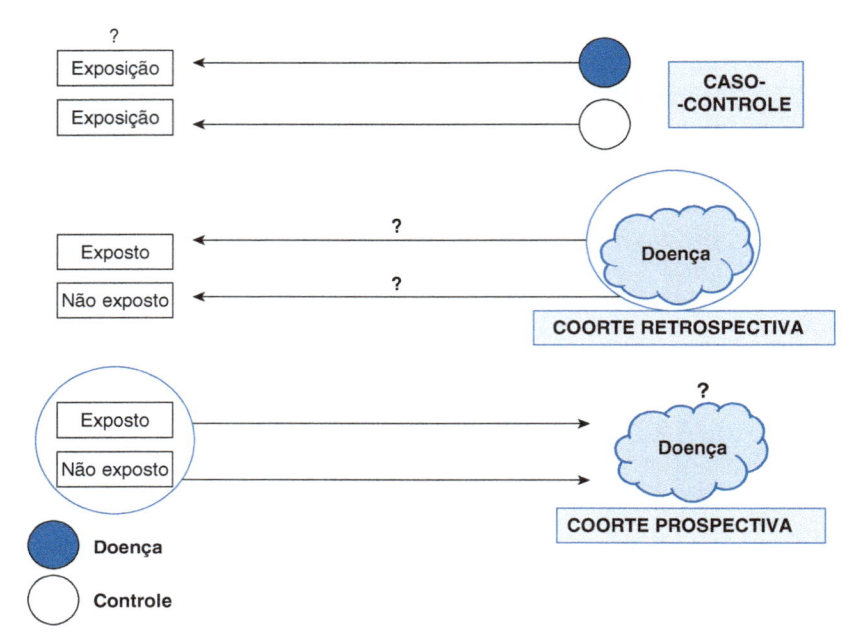

FIGURA 2.2 Estudo de caso-controle *versus* estudo de coorte. Em um estudo de caso-controle, os pesquisadores começam pelos indivíduos com doença e indivíduos controle, voltando no tempo para determinar se houve exposição. Em uma coorte retrospectiva, os pesquisadores começam pela doença e voltam no tempo para determinar se houve ou não exposição. Em uma coorte prospectiva, os pesquisadores começam pelos grupos expostos e não expostos, e determinam se a doença ocorre posteriormente.

Os estudos de simulação dupla (*double dummy*) costumam ser usados em estudos terapêuticos, quando dois tratamentos devem ser diferentes. Isto consiste em ter um Fármaco A e seu Placebo A indistinguível, e um Fármaco B e seu próprio Placebo B indistinguível. Os pacientes tomam o Tratamento A (Fármaco A ativo + Placebo B) ou o Tratamento B (Fármaco B ativo + Placebo A) (Fig. 2.3).

ESTUDOS OBSERVACIONAIS

Os estudos epidemiológicos observacionais podem ser subdivididos em estudos de coorte (estudos de seguimento), estudos de caso-controle e estudos transversais (estudos de prevalência). Os estudos que consistem apenas em uma avaliação descritiva são restritos a uma descrição simples da frequência (incidência e prevalência) e distribuição de uma doença junto a uma população.

TABELA 2.2   Delineamentos metodológicos de pesquisa

Delineamento do estudo	Descrição
Comparação paralela	Cada grupo recebe um tratamento diferente e ambos os grupos são incluídos ao mesmo tempo. Os resultados são analisados por meio da comparação dos grupos.
Estudo com cegamento único	Apenas os sujeitos são cegados para o tratamento ou a intervenção que recebem.
Estudo duplo-cego	Tanto os sujeitos como os pesquisadores são cegados para o tratamento ou a intervenção administrada.
Cruzado	Cada indivíduo recebe a intervenção, sendo que os tratamentos de controle (em ordem aleatória) frequentemente são separados por um período de *washout*.
Simulação dupla (*double dummy*)	A simulação dupla é um método de estudo com cegamento em que ambos os grupos de tratamento podem receber placebo. Um grupo pode receber o Tratamento A e o placebo do Tratamento B. O outro grupo então receberia o Tratamento B e o placebo do Tratamento A.
Aberto	Um estudo científico em que pesquisadores e participantes sabem qual tratamento está sendo administrado.

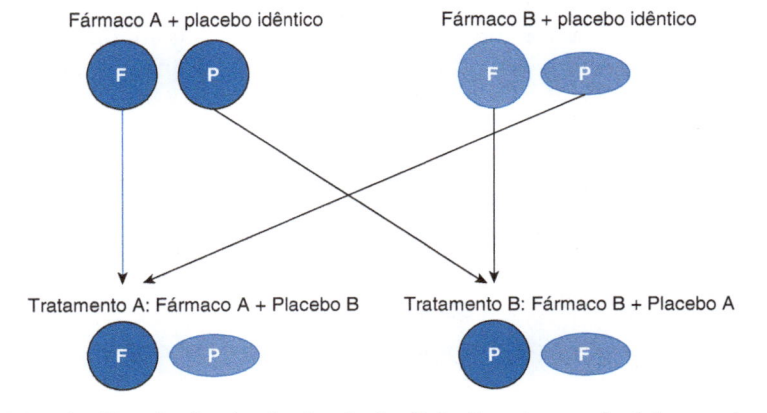

FIGURA 2.3   Estudo de simulação dupla. Este tipo de ensaio é frequentemente usado em estudos terapêuticos, quando dois tratamentos devem ser diferentes. Consiste em ter um Fármaco A e seu Placebo A indistinguível, e um Fármaco B e seu próprio Placebo B indistinguível. Os pacientes, então, tomam o Tratamento A (Fármaco A ativo + Placebo B) ou o Tratamento B (Fármaco B ativo + Placebo A).

Os estudos de coorte envolvem a observação de dois grupos de sujeitos saudáveis, ao longo do tempo. Um grupo é exposto a uma substância específica, enquanto o outro não o é. A frequência de um desfecho específico é, então, registrada de modo prospectivo. O risco relativo (quociente das taxas de incidência) é um parâmetro estatístico muito importante, que pode ser calculado nos estudos de coorte. Os estudos de coorte são bastante convenientes para a detecção das conexões causais existentes entre a exposição e o desenvolvimento da doença, mas frequentemente demandam bastante tempo, organização e dinheiro.[5]

TESTANDO ESTES ESTUDOS

O objetivo da MBE é fornecer a melhor resposta para uma questão clínica.[6] Uma forma de obter evidências é buscar na literatura os artigos relevantes e avaliar (ou fazer uma análise crítica) a qualidade desses artigos.[7] Diante da literatura infindável atualmente disponível, seria impossível concluir a pesquisa a tempo. Os níveis de evidência são uma forma de "peneirar" essa literatura. Segundo o princípio por trás dos níveis de evidência, todos os artigos são evidências, mas alguns são mais persuasivos em virtude do delineamento do estudo. As deliberações da análise baseada em evidências são resumidas de acordo com as recomendações, sendo graduadas pelo número e qualidade dos estudos.[8] (Tabela 2.3).

Níveis de evidência

Os níveis de evidência constituem um método usado na MBE para determinar o valor clínico de um estudo. O nível mais alto e mais confiável – o nível de evidência 1 – tende a ser oriundo de ECRs ou metanálises de ECR. O

TABELA 2.3   Níveis de evidência e graus de recomendação

Grau de recomendação	Nível de evidência	Intervenções
A	1a	Revisão sistêmica de ECRs
	1b	ECR individual
B	2a	Revisão sistemática de estudos de coorte
	2b	Estudo de coorte individual
	3a	Revisão sistemática de estudos de caso-controle
	3b	Estudo de caso-controle individual
C	4	Série de casos
D	5	Opinião especializada ou pesquisa de laboratório

nível de evidência 2 surge de estudos comparativos prospectivos, metanálises de estudos de nível 2 ou estudos de nível 1 com resultados inconsistentes. A evidência de nível 3 descreve dados oriundos de estudos de coorte retrospectivos, estudos de caso-controle ou estudos de metanálise de nível 3 (estudos observacionais com controle). A evidência de nível 4 descreve dados de séries de casos (estudos observacionais sem controle). Por fim, o nível de evidência mais baixo, o nível 5, surge de relatos de caso, opiniões especializadas e observações pessoais.

Graus

Existem quatro graus de recomendação: A, B, C e D. Os tratamentos que recebem grau A são sustentados por boas evidências (estudos de nível I com achados consistentes), favoráveis ou contrárias à intervenção recomendada. Os tratamentos que recebem grau B são sustentados por evidências razoáveis (estudos de nível II ou III ou extrapolações de estudos de nível 1). Os tratamentos de grau C apresentam evidências conflitantes ou de baixa qualidade (nível IV ou extrapolações de estudos de nível II ou III) que impedem uma recomendação favorável ou contrária. Os tratamentos que recebem grau D não possuem evidências suficientes para que uma recomendação seja feita e são, com frequência, derivados de evidências de nível V ou estudos inconsistentes ou inconclusivos de qualquer nível.

Referências

1. Röhrig B, du Prel JB, Wachtlin D, Blettner M. Types of study in medical research. *Dtsch Arztebl Int.* 2009;106(15):262-268.
2. Fleiss JL. The Design and Analysis of Clinical Experiments. New York: John Wiley & Sons; 1986:149-185.
3. Machin D, Campbell MJ. *Design of Studies for Medical Research.* Chichester, UK: Wiley; 2005:1-286.
4. Moher D, Schulz KF, Altman DG; CONSORT GROUP (Consolidated Standards of Reporting Trials). The CONSORT statement: revised recommendations for improving the quality of reports of parallel-group randomized trials. *Ann Intern Med.* 2001;134(8):657-662.
5. Creswell JWl. *Research Design: Qualitative, Quantitative, and Mixed Methods Approaches.* Thousand Oaks, CA: Sage Publications; 2003.
6. Walliman N. *Your Research Project: A Step-by-Step Guide for the First-Time Researcher.* London: Sage Publications; 2001.
7. Altman DG, Gore SM, Gardner MJ, Pocock SJ. Statistical guidelines for contributors to medical journals. *Br Med J (Clin Res Ed).* 1983;286:1489-1493.
8. Guyatt GH, Oxman AD, Vist G, Kunz R, Falck-Ytter Y, Alonso-Coello P, Schünemann HJ, for the GRADE Working Group. Rating quality of evidence and strength of recommendations GRADE: an emerging consensus on rating quality of evidence and strength of recommendations. *BMJ.* 2008;336:924-926.

Leituras sugeridas

Sackett DL, Straus SE, Richardson WS, et al. *Evidence-Based Medicine: How to Practice and Teach EBM*. 2nd ed. Edinburgh, Scotland: Churchill Livingstone; 2000:173-177.

Sackett DL. Evidence based medicine: what it is and what it isn't. *Br Med J*. 1996;312: 71-72.

3

CLUBE DE REVISTA

Como ler e criticar um artigo

Clínicos têm 0,7 a 18,5 perguntas para cada 10 pacientes tratados.[1,2] Entretanto, as respostas aos primeiros 2/3 dessas perguntas não são buscadas ou são buscadas sem serem encontradas.[3,4] Análises subsequentes mostram que quase todas as perguntas não respondidas poderiam ser respondidas se fossem melhor formuladas e suas respostas fossem buscadas de forma mais eficiente.[2] A análise crítica é um processo sistemático usado para identificar os pontos fortes e fracos de um artigo científico, a fim de avaliar a utilidade e a validade dos achados da pesquisa. Os componentes mais importantes de uma análise crítica são uma avaliação da adequação do delineamento do estudo para a pergunta da pesquisa e uma avaliação minuciosa dos principais aspectos metodológicos desse delineamento.[5] Isso leva os clínicos a lerem artigos de periódicos que representam os últimos avanços científicos e terapêuticos ocorridos em uma determinada área. Recentemente, as instituições médicas têm enfocado a adoção e a prática da medicina baseada em evidências (MBE).[6,7] Uma das formas de implementar isso são os clubes de revista. Esses clubes introduzem os membros da equipe médica aos novos avanços ocorridos em uma dada área em particular, mas também ajudam a estabelecer o cenário para empreendimentos científicos futuros. Como a duração dos clubes de revista, em geral, é de uma hora, cada participante dispõe de um tempo limitado para discutir o artigo. O algoritmo a seguir serve para guiar e auxiliar a construção da experiência de esmiuçar um artigo.

ABORDAGEM DE UM ARTIGO

Seja em um clube de revista, seja apenas na leitura de um artigo, é importante que o artigo seja abordado da mesma forma, sistemática e organizada. Isso pode se tornar bastante intimidador, em especial para alguém sem experiência na área de pesquisa. Por esse motivo, cada artigo deve ser abordado sempre do mesmo modo. Além disso, devemos ter em mente alguns pontos fundamentais que são significativos para a compreensão e análise de qualquer artigo. Os pontos descritos a seguir, acoplados à planilha do clube de revista fornecida neste capítulo, servirão de introdução e ferramenta de aprendizado útil para compreender como um artigo científico deve ser analisado minuciosamente (Fig. 3.1).

Introdução

Para analisar um artigo de periódico, é preciso dividi-lo em três partes principais: introdução, discussão e conclusão. A introdução deve abranger ainda quatro elementos principais: identificadores do artigo, tipo de estudo/PICO(T), revisão da literatura médica e métodos.

Identificadores do artigo

O início de todo clube de revista deve começar pelos principais identificadores do artigo. Estes são o título do artigo, autor, periódico e ano. Isto serve de introdução para uma conversa que é decisiva para a apresentação como um todo.

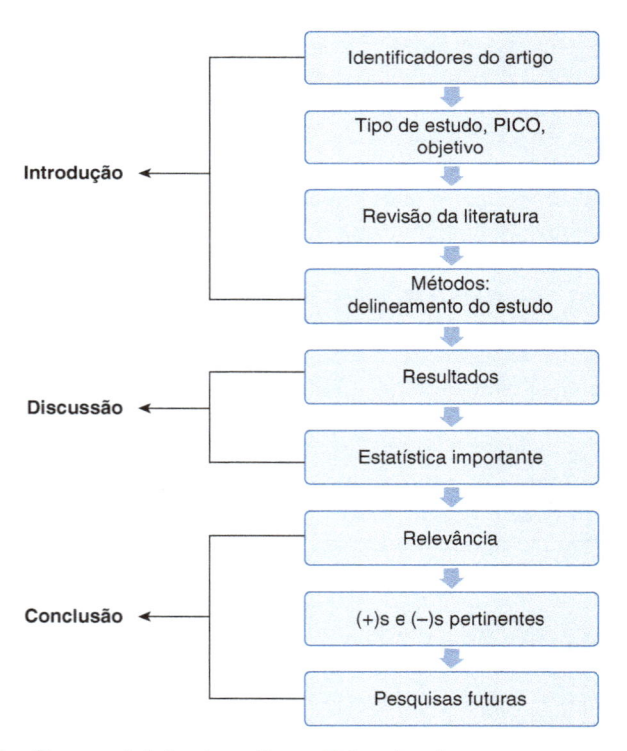

FIGURA 3.1 O especialista de artigos. Este algoritmo serve como abordagem básica para a dissecção de artigos. O artigo é dividido em três partes principais: introdução, discussão e conclusão.

Tipo de estudo

Após introduzir o artigo, é importante determinar o tipo de estudo, pois isto estabelece o cenário para determinação da qualidade, da confiabilidade e da validade do estudo, de acordo com sua aplicação ao domínio clínico. Esta informação é significativa, porque determina a aplicabilidade do estudo e a acurácia para determinar se seus resultados devem ser considerados na prática clínica e se suas recomendações estabelecem o contexto para o futuro desenvolvimento de diretrizes clínicas.

Para reconhecer o tipo de estudo, é preciso responder a três perguntas:

1. Metas do estudo
   a. Fornecer uma descrição simples de uma população → descritivo
   b. Quantificar a relação existente entre fatores de risco (PICO aplicável) → analítico

2. Se analítico:
   a. Randomizado → ensaio clínico randomizado (ECR)
   b. Não randomizado → experimental

3. Quando os resultados foram determinados
   a. Decorrido algum tempo da exposição ou intervenção → coorte prospectivo
   b. Ao mesmo tempo que a exposição ou intervenção → transversal
   c. Antes da exposição ser determinada → estudo de caso-controle retrospectivo (Tabela 3.1)

PICO(T)

A pergunta de pesquisa adequada (bem construída) possibilita a correta definição de qual informação (evidência) é necessária para solucionar a questão da pesquisa clínica.[8,9] Na abordagem de um artigo, em especial na introdução, é sempre necessário ter em mente o algoritmo PICO(T). A estratégia PICO pode ser usada para construir vários tipos de perguntas de pesquisa originárias da prática clínica, manejo de recursos humanos e materiais, busca de instrumentos de avaliação de sintoma, entre outros.[8,10] (Fig. 3.2) Isso inclui a identificação do tipo, dos pacientes ou da população estudada, acoplada à intervenção realizada (quando houver), comparação empregada, desfechos estudados e momento em que o estudo foi conduzido. Junto a este paradigma, você introduziria o objetivo e os alvos do estudo. Esse método é facilmente aplicado aos estudos experimentais, mas sua aplicação pode ser um pouco desafiador em certos estudos. O método PICO(T) é melhor utilizado em estudos analíticos.[11,12] Isto inclui estudos analíticos experimentais (ECR ou estudos controlados) e estudos analíticos observacionais (coortes, transversal, série de casos). Seria, portanto, difícil aplicar esse método (especificamente quanto ao aspecto da intervenção) em estudos não analíticos (revisões

TABELA 3.1 Tipos de estudos científicos

Tipo de estudo	Descrição
Observacional	
Coorte	Uma coorte é um grupo de participantes semelhantes quanto a uma característica, que são acompanhados ao longo do tempo (retrospectiva ou prospectivamente) para determinar quais fatores de risco estão associados a essa característica em particular.
Caso-controle	Estudo que compara pacientes que têm uma doença ou apresentam um desfecho de interesse (casos) com pacientes que não têm a doença nem apresentam o desfecho (participantes-controle), voltando-se retrospectivamente para comparar a frequência com que a exposição a um fator de risco está presente em cada grupo e, assim, determinar a relação existente entre o fator de risco e a doença.
Transversal	Observação de uma população inteira, ou de um subgrupo representativo, em um dado momento específico. Difere dos estudos de caso-controle quanto ao objetivo, que é fornecer dados sobre toda a população estudada. Entretanto, os estudos de caso-controle, com frequência, incluem apenas indivíduos com uma característica específica, com uma amostra (muitas vezes de uma estreita minoria) do restante da população. Um estudo transversal é aquele em que os participantes são escolhidos sem considerar a condição patológica e estudados em um dado momento em particular, como em uma investigação de saúde feito com amostras aleatórias.
Série de casos	Relato sobre um pequeno grupo de casos similares. Frequentemente, são a via clínica de definição e reconhecimento de entidades patológicas, bem como de formulação de hipóteses.
Experimental	
Ensaios clínicos randomizados (ECRs)	Os ECRs quantificam um efeito da intervenção atribuindo ao acaso indivíduos (ou grupo de indivíduos) a um grupo de intervenção ou ao grupo-controle. É o estudo mais forte para determinar uma relação de causa-efeito que potencialmente existe entre tratamento e desfecho.
Pesquisa secundária	
Metanálise	Subconjunto de revisões sistemáticas. Trata-se de um método para combinar de forma sistemática dados de estudos quantitativos e qualitativos pertinentes a partir de vários estudos selecionados, com o objetivo de desenvolver uma conclusão única dotada de maior poder estatístico. Essa conclusão é estatisticamente mais robusta do que a análise de qualquer estudo isolado, devido aos números aumentados de indivíduos, maior diversidade existente entre esses indivíduos ou efeitos e resultados acumulados.

FIGURA 3.2   PICOT. A abordagem PICOT é uma forma rápida e simples de abordar qualquer pergunta de pesquisa ou artigo médico. O método foi descrito pela primeira vez por Sackett *et al.*[7]

sistemáticas/metanálises, levantamentos transversais). Desta forma, somente seria possível aplicar P e O (paciente ou população) e o desfecho (*outcome*).

A mensagem para se ter em mente é a de que, se o PICO(T) é aplicável, é um estudo analítico.

Revisão da literatura médica

Como parte da introdução, é importante revisar a literatura médica atual referente ao tópico em particular. Isto é importante porque estabelece o contexto da relevância e aplicabilidade do estudo e, de forma mais significativa, faz alusão ao motivo pelo qual o estudo foi escolhido. É importante, primeiro, compreender o conhecimento atual disponível, cruzar referências com os hiatos atualmente existentes no conhecimento ou pesquisa e vinculá-lo ao estudo em curso e àquilo que é acrescentado ao corpo da literatura.

Métodos

A parte mais importante da seção sobre métodos é a discussão dos critérios de inclusão e exclusão que os autores usam em seus estudos. Isto, aliado à metodologia realizada do estudo, pode determinar o quão válidos e confiáveis são os resultados. Para que os resultados sejam acurados e confiáveis, devem ser oriundos de amostras representativas e livres de vieses que, por sua vez, validariam os resultados positivos ou negativos de um estudo. Nesta seção, podemos mencionar o projeto do estudo e como foi implementado (ver Tabela 3.1).

Discussão

A parte de discussão da apresentação do clube de revista pode ser dividida em duas partes: discussão dos resultados do estudo e avaliação dos métodos estatísticos. Com relação aos métodos estatísticos, é importante dar foco ao método estatístico principal usado pelos autores e empregá-lo para comunicar se eles alcançaram seus objetivos e metas.

Ao apresentar os resultados de um estudo, é impossível apresentar cada tabela, gráfico e figura. Devem ser escolhidas duas ou três figuras para representar a maioria dos resultados. Essas figuras devem ser integralmente explicadas, considerando os resultados de importância clínica. Lembre que um estudo negativo não é um estudo ruim. Se um estudo falha em detectar uma relação ou elucidar um paradigma específico, isso não significa que esse estudo seja sem relevância. Em vez disto, esse estudo traz conhecimentos adicionais sobre o tópico e exclui certos fatores que podem não estar associados a ele.

Ao avaliar os métodos estatísticos, várias questões devem ser consideradas. É importante, primeiro, olhar para a amostra ou população escolhida – é representativa de uma amostra sem vieses a partir da qual se possa tirar conclusões acuradas e confiáveis? A amostra ou população é comparável ao nível basal? O tamanho da amostra é amplo o bastante para representar um número de casos que possa fornecer inferências conclusivas sobre uma doença específica? Ao avaliar o tamanho da amostra, também é preciso observar o poder do estudo. O poder de um estudo é definido como a probabilidade de um estudo clínico apresentar um resultado significativo (positivo) – ou seja, de que o valor P será menor do que o nível de significância especificado (em geral, 5%). Em outras palavras, é a probabilidade de o teste rejeitar a hipótese nula quando esta for falsa (i.e., a probabilidade de não cometer um erro de tipo II, ou de tomar uma decisão falso-negativa). Em termos leigos, é a probabilidade de o teste relatar um efeito estatisticamente significativo para um efeito real de uma determinada magnitude? Se um efeito tem um determinado tamanho, qual seriam as chances de nós descobrirmos isso? O tamanho da amostra e o valor P afetam o poder do estudo e, por sua vez, ajudam a determinar se o estudo é estatisticamente significativo.

Conclusão

Esta parte da apresentação do clube de revista é a mais importante, em termos de contribuição individual. Permite que o expositor compartilhe sua interpretação e suas dúvidas relacionadas ao estudo. É quando o clube avalia a relevância do artigo, estabelecendo se é *clinicamente* importante, ainda que seja significativo do ponto de vista estatístico. Possibilita que os participantes analisem a factibilidade do estudo e sua aplicabilidade na prática clínica. Quando esta análise é positiva, a próxima pergunta é: qual seria o ônus financeiro associado ao estudo? Podem haver numerosos estudos mostrando que uma modalidade diagnóstica em particular é altamente sensível e específica para detectar uma doença, embora seja cara e complexa demais para ser usada como ferramenta de triagem. A relevância e significado estatístico do estudo também podem ser medidos pelo grau e pelo nível de evidência que o estudo representa (Tabelas 3.2 e 3.3). Os ECRs são os de maior nível de evidência, sendo que os dados derivados destes estudos tendem a representar recomendações de grau A, por serem principalmente estudos sem vieses, controlados e cegos, que, com frequência, apresentam um tamanho de amostra amplo e contêm dados de longos períodos de tempo (Fig. 3.3).

A validade interna do estudo também deve ser avaliada. Os autores afastaram o acaso, os viéses e os fatores de confusão? Eles contavam com uma fonte

TABELA 3.2   Níveis de evidência

Nível	Descrição	Exemplos
I	Evidências de pelo menos um ensaio clínico randomizado (ECR) ou metanálise de ECR	
II	Ensaio controlado não randomizado	Estudo prospectivo (coorte ou desfechos) com grupo-controle interno ou revisão sistemática de ensaios controlados prospectivos
III	Estudos observacionais com controle	Retrospectivo, séries temporais, caso-controle
IV	Estudos observacionais sem controle	Coortes, série de casos sem controle
V	Opinião especializada	

de recursos financeiros externa? Se a resposta for sim, qual foi a contribuição? Nem todos os ensaios terapêuticos financiados por empresas farmacêuticas são julgados "tendenciosos". É importante avaliar a contribuição da fonte financiadora. Se essa fonte meramente financiou as despesas, porém um grupo à parte de pesquisadores conduziu e analisou o estudo, então os resultados desse estudo podem representar dados válidos. A validade externa do estudo também pode ser avaliada questionando a viabilidade do estudo: os resultados modificariam a sua prática? Como isto se adequa àquilo que já sabemos sobre o assunto?

Você também pode comentar a importância do artigo e o motivo pelo qual foi escolhido. Esse comentário também pode ser feito na introdução, bem como na conclusão. O tópico era um procedimento emergente e pioneiro ou um avanço recente? Incluiu controvérsias sobre regimes diferentes ou dados inconclusivos? Como isto se adequa ao nosso conhecimento atual? (Faça referência à prática vigente, conhecimentos prévios ou estudos anteriores.)

Uma boa estratégia a ser adotada ao analisar um estudo é apresentar três pontos fortes e três deficiências do estudo. Os pontos fortes podem ser evi-

TABELA 3.3   Recomendações para gradação

Grau	Descrição
A	Baseada diretamente em evidência de categoria I
B	Baseada diretamente em evidência de categoria II/III ou em recomendação extrapolada a partir de evidência de categoria I
C	Baseada diretamente em evidência de categoria IV ou em recomendação extrapolada a partir de evidência de categoria II/III
D	Baseada diretamente em evidência de categoria V ou em estudos inconsistentes ou inconclusivos de qualquer nível

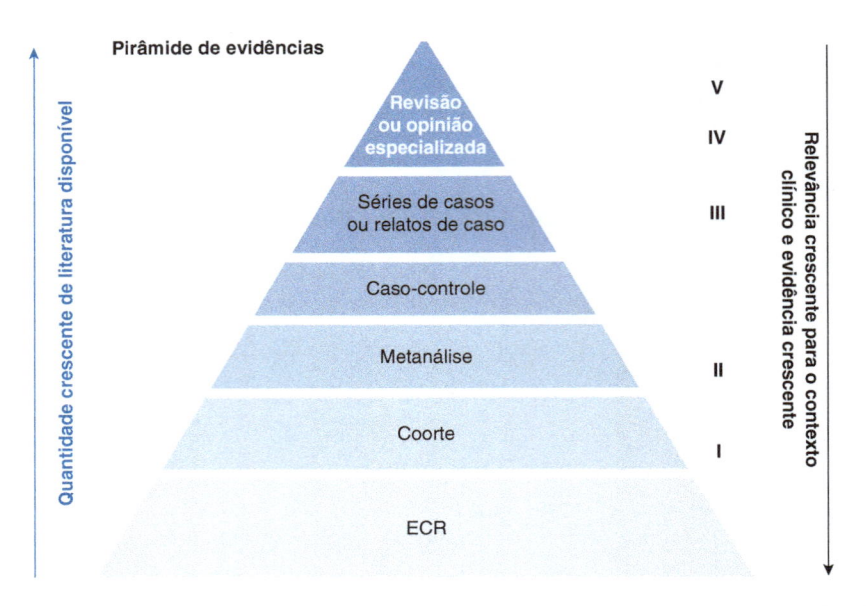

FIGURA 3.3   Pirâmide de evidências. Os ensaios clínicos randomizados (ECRs) representam o nível mais alto de evidências e relevância clínica da pirâmide de evidências, mas representam uma parte diminuta da literatura disponível.

denciados quando se faz referência ao efeito geral e à significância estatística ou clínica. Ao avaliar os pontos fracos de um estudo, podemos nos referir às deficiências específicas inerentes ao delineamento do estudo (Tabela 3.4) ou aos pontos fracos autor-específicos que podem estar presentes na fonte financiadora, amostragem da população, vieses, ausência de cegamento, falta de randomização e assim por diante.

Enfim, para concluir a apresentação, o clube de revista deve discutir algumas questões referentes ao estudo, como se os autores poderiam ter usado delineamentos metodológicos distintos ou amostras de população diferentes que fornecessem resultados mais estatisticamente sólidos e clinicamente significativos. Além disso, o clube pode terminar com indicações para pesquisas futuras que não tenham sido abordadas no estudo.

COMO ANALISAR UM ARTIGO CRITICAMENTE

A análise crítica é um processo sistemático usado para identificar os pontos fortes e fracos de um artigo científico, a fim de avaliar a utilidade e a validade dos achados da pesquisa. Numerosas ferramentas de análise crítica podem ser usadas, algumas das quais são específicas ao tipo de estudo que está sendo questionado. Os componentes mais importantes de uma análise crítica são

TABELA 3.4 **Potenciais vieses e limitações com base no delineamento do estudo**

Delineamento do estudo	Viés e limitações
Transversal	Impossibilidade de estabelecer relação temporal entre a exposição e o desfecho medidos ao mesmo tempo Viés de seleção Viés de autorrelato Viés de resposta
Caso-controle	Viés de seleção (de casos e controles) Viés de memória Relação temporal questionável (exposição diminuída antes do desfecho)
Coorte	Viés de seleção Perda no seguimento Mudança de hábitos com o passar do tempo
Delineamento experimental	Viés de seleção Perda no seguimento Procedimentos de randomização impróprios ou enviesados Inclusão inadequada de cegamento para participantes e pesquisadores relacionadas à exposição ou ao tratamento

uma avaliação da adequação do delineamento do estudo em relação à pergunta da pesquisa, e uma avaliação detalhada dos principais aspectos metodológicos desse delineamento. As perguntas listadas a seguir foram extraídas de um artigo de Young et al.[5] sobre como analisar um artigo, e são úteis para se ter em mente ao ler artigos científicos.

Dez perguntas a serem feitas na análise crítica de artigos científicos

1. A pergunta do estudo é relevante?
2. O estudo acrescenta algo novo?
3. Que tipo de pergunta científica está sendo feita?
4. O delineamento do estudo foi adequado para a pergunta científica?
5. Os métodos do estudo abordaram as fontes de vieses em potencial mais importantes?
6. O estudo foi conduzido de acordo com o protocolo original?
7. O estudo testa uma hipótese levantada?
8. As análises estatísticas foram realizadas corretamente?
9. Os dados justificam as conclusões?
10. Existem conflitos de interesse?

As seguintes listas servem como *checklists* para avaliar criticamente um artigo com base no tipo específico de delineamento.

Revisões sistemáticas e metanálise

1. Todos os estudos relevantes foram incluídos (i. e., a pesquisa foi abrangente, excluiu artigos com base no *status* da publicação ou linguagem, e o potencial para o viés de publicação foi avaliado)?
2. Os artigos selecionados foram analisados e os dados foram extraídos por dois revisores independentes?
3. Os detalhes sobre estudos primários fornecidos, incluindo descrições de pacientes, intervenções e desfechos, foram suficientes?
4. A qualidade dos estudos primários foi avaliada?
5. Os pesquisadores avaliaram a adequação dos resultados combinados para calcular uma medida de síntese?

Ensaios clínicos randomizados

1. O processo de alocação do tratamento foi de fato aleatório?
2. Os participantes puderam saber ou supor a alocação do tratamento?
3. Os participantes e pesquisadores estavam "cegos" em relação ao grupo de tratamento dos participantes?
4. Os desfechos foram avaliados de forma objetiva?
5. Todos os participantes que foram alocados aleatoriamente para um tratamento foram considerados ao final da análise?
6. Todos os dados dos participantes foram analisados no grupo em que os indivíduos foram aleatoriamente alocados?

Estudo de coorte

1. O estudo é prospectivo ou retrospectivo?
2. A coorte é representativa de um grupo ou população definida?
3. Todos os fatores causadores de confusão significativos foram identificados?
4. Todas as exposições e tratamentos, fatores de confusão em potencial e desfechos importantes foram medidos de forma acurada e objetiva em todos os membros da coorte?
5. Houve perdas significativas no seguimento?
6. Os participantes foram seguidos por tempo suficiente?

Estudo de caso-controle

1. Os casos foram nitidamente definidos?
2. Os casos eram representativos de uma população definida?
3. Como os controles foram selecionados? Os controles foram extraídos da mesma população que os casos?
4. As medidas realizadas no estudo foram idênticas em casos e controles?
5. As medidas realizadas no estudo foram objetivas ou subjetivas? Caso tenham sido subjetivas, existe a probabilidade de viés de memória?

Estudo transversal

1. A amostra do estudo foi claramente definida?
2. A amostra era representativa (p. ex., o índice de resposta foi suficientemente alto)?
3. Todas as exposições, fatores de confusão em potencial e desfechos relevantes foram medidos de maneira acurada?
4. Pacientes de uma ampla gama de gravidade da doença foram avaliados?

Estudo de caso

1. Os casos foram identificados de maneira prospectiva ou retrospectiva?
2. Os casos constituem uma amostra representativa (p. ex., uma série consecutiva de indivíduos recrutados a partir de múltiplos centros) e semelhante aos pacientes da sua prática?
3. Todas exposições, fatores de confusão em potencial e desfechos relevantes foram medidos com acurácia?

A planilha do clube de revista serve como referência inicial que pode guiá-lo em sua abordagem inicial para compreensão de um artigo.

PLANILHA DO CLUBE DE REVISTA

Identificadores do artigo (título, autor, revista, ano):

_____

_____

INTRODUÇÃO

1. Tipo de estudo
   a. Metanálise ❏
   b. Transversal ❏
   c. Ensaio clínico ❏
      i. Randomizado ❏
      ii. Não randomizado ❏
   d. Coorte ❏
      i. Prospectivo ❏   Retrospectivo ❏
   e. Editoriais, cartas, opiniões ❏
   f. Revisões sistemáticas ❏
   g. Caso-controle ❏
   h. Série de caso ❏
      i. Pesquisa com animais ❏

2. Tipo de pergunta/problema: circular um dos itens:
   Terapia   Prevenção   Diagnóstico   Etiologia   Prognóstico

(continua)

(continuação)

3. Defina sua pergunta de acordo com PICO:
   a. Paciente ou problema: _____
   b. Intervenção: _____
   c. Comparação: _____
   d. Desfecho: _____

4. Métodos:
   a. Duplo-cego ❏
   b. Aberto ❏
   c. Simulação dupla *(Double dummy)* ❏
   d. Cegamento único ❏
   e. Outro: ❏ _____

Critérios de inclusão	Critérios de exclusão
_____	_____
_____	_____
_____	_____
_____	_____
_____	_____
_____	_____

Descrição

_____
_____
_____
_____
_____
_____

DISCUSSÃO

5. Resultados

_____
_____
_____
_____

6. Estatísticas
   a. O tamanho da amostra é suficientemente adequado?   Sim ❏ Não ❏
   _____
   _____

(continua)

(continuação)

b. O poder é adequado para responder a pergunta da pesquisa?

Sim ❑ Não ❑

c. As características do grupo do estudo são comparáveis ao nível basal?

Sim ❑ Não ❑

d. A amostra da população escolhida foi apropriada para a pergunta?

Sim ❑ Não ❑

e. Qual foi o principal método estatístico usado e o que mostrou?

CONCLUSÃO

7. **Relevância**

a. Qual é o grau ou o nível da evidência?

b. É significativa ou aplicável do ponto de vista clínico?   Sim ❑ Não ❑

c. É custo-efetiva?   Sim ❑ Não ❑

d. Validade interna: os autores excluíram **acaso, vieses** e **confusão** como explicações de seus achados?   Sim ❑ Não ❑

(continua)

(continuação)

e. Validade externa: É viável? (Estes resultados mudariam sua prática? Como estes resultados se adequam ao que já sabemos sobre o assunto?): Sim ❑ Não ❑

_____
_____
_____

f. Por que este artigo é importante? Por que foi escolhido (p. ex., tópico emergente, procedimento pioneiro, avanço recente, controvérsia sobre manejos diferentes, dados inconclusivos)? Como isto se adequa ao nosso conhecimento atual? (Fazer referência à prática vigente, a conhecimentos prévios ou a estudos anteriores.):

_____
_____
_____

g. Este estudo foi financiado por uma fonte de recursos externa? Se a resposta for sim, qual foi a contribuição da fonte financiadora?

_____
_____
_____

8. **Pontos fortes do estudo** **Pontos fracos e limitações (consultar a Tabela 3.4)**

_____   _____
_____   _____
_____   _____
_____   _____
_____   _____
_____   _____

9. **Itens a serem destacados durante a discussão (itens de pesquisa futura):**

_____
_____
_____
_____

10. **Notas**

_____
_____
_____
_____

Referências

1. Ely JW, Osheroff JA, Chambliss ML, Ebell MH, Rosenbaum ME. Answering physicians' clinical questions: obstacles and potential solutions. *J Am Med Inform Assoc.* 2005;12(2):217-224.
2. Gorman PN, Helfand M. Information seeking in primary care: how physicians choose which clinical questions to pursue and which to leave unanswered. *Med Decis Making.* 1995;15(2):113.
3. Chambliss ML, Conley J. Answering clinical questions. *J Fam Pract.* 1996;43(2): 140-144.
4. Currie LM, Graham M, Allen M, Bakken S, Patel V, Cimino JJ. Clinical information needs in context: an observational study of clinicians while using a clinical information system. *AMIA Annu Symp Proc.* 2003:190-194.
5. Young JM, Solomon MJ. How to critically appraise an article. *Nat Clin Pract Gastroenterol Hepatol.* 2009;6(2):81-92.
6. Wilton NK, Slim AM. Application of the principles of evidence-based medicine to patient care. *South Med J.* 2012;105(3):136-143.
7. Sackett DL, Richardson WS, Rosenberg W, Haynes RB. *Evidence-Based Medicine: How to Practice and Teach EBM.* New York: Churchill Livingston; 1997.
8. Flemming K. Critical appraisal. 2. Searchable questions. *NT Learn Curve.* 1999; 3(2):6-7.
9. Armstrong EC. The well-built clinical question: the key to fi nding the best evidence efficiently. *World Med J.* 1999;98(2):25-28.
10. Timm DF, Banks DE, McLarty J. Critical appraisal process: step-by-step. South Med J. 2012;105(3):144-148.
11. Huang X, Lin J, Demner-Fushman D. Evaluation of PICO as a knowledge representation for clinical questions. *AMIA Annu Symp Proc.* 2006;2006:359-363.
12. Stone PW. Popping the (PICO) question in research and evidence-based practice. *Appl Nurs Res.* 2002;15(3):197-198.

4

COMO INTERPRETAR A PESQUISA

Estatística simplificada

Com contribuições de Fahed Barakat, BSc, MBBS

A estatística é provavelmente o tópico mais temido na esfera da medicina, entre os alunos e residentes. Engloba uma área raramente representada que, de modo irônico, constitui a base da maior parte das nossas tomadas de decisão clínica. Para empregar a MBE na prática diária, é importante compreender se os últimos estudos clínicos são significativos o bastante para serem implementados no nosso dia a dia. Este capítulo fornece o conhecimento estatístico necessário para sabermos que teste estatístico usar e como interpretar os resultados finais.

ESTATÍSTICA BÁSICA

Quando dados são reunidos para um determinado estudo, cada dado é inserido individualmente em um banco de dados, uma observação de cada vez. O material é registrado como um conjunto de variáveis. A estatística envolve a comparação de informações quanto a essas variáveis, com o objetivo de responder a pergunta.

Tipos de dados
- **Contínuos (mensurados):** os dados contínuos assumem qualquer valor dentro de uma variação, como altura, peso ou idade.
- **Discretos (categóricos):** dados pertencentes a um número restrito de classes.
  - **Binário:** existem apenas duas opções possíveis (p. ex., morto ou vivo, sim ou não).

- **Nominal:** não há uma ordem em particular nas categorias (p. ex., etnia, ocupação).
- **Ordinal:** as categorias podem ser ordenadas (p. ex., faixa etária, condição de fumante [não fumante, ex-fumante, fumante atual]).

Tendência central

Ao resumir os dados numéricos observados a partir de uma amostra do estudo, é útil obter um valor que centralize os dados. Esse valor pode assumir várias formas:[1,2]

- **Média:** conhecida mais acuradamente como média aritmética. É a estatística mais comumente usada, ainda que nem sempre de modo apropriado.
- **Mediana:** é o ponto a meio caminho da variável. Os números são todos rearranjados em ordem crescente ou decrescente e o valor que fica no meio é a mediana (quando há um número ímpar de observações). Se dois valores ficam no meio (quando o número de observações é par), a média de ambos é considerada a mediana.
- **Moda:** é o número observado com maior frequência (pouco usada e mais relevante para dados discretos).

A média é bem mais sensível aos valores que caem fora da mediana (*outliers*, que são observações numericamente distantes dos demais dados). Sendo assim, a escolha da medida a ser usada como centro dos dados depende da dispersão e da distribuição da variável (Tabela 4.1).

Dispersão dos dados

Durante a avaliação dos dados, qual é o grau de distanciamento ou dispersão das demais observações em relação ao valor central calculado (média, mediana, moda)? Esta é uma medida de precisão.

TABELA 4.1   Descrição de dados*

	Outlier excluído	*Outlier* incluído
Média	(1+4+4+10+3+6+9+4+4+2+2+ 7+4+6+8)/15 = 4,93	(1+4+4+10+3+6+9+4+4+2+2+7+4+ 6+8+30)/16 = 6,5
Mediana	*1, 2, 2, 3, 4, 4, 4, 4, 4, 6, 6, 7, 8, 9, 10* A observação a meio caminho é 4.	*1, 2, 2, 3, 4, 4, 4, 4, 4, 6, 6, 7, 8, 9, 10, 30* A média das duas observações do meio é 4.
Moda	4 é a observação mais frequente.	4 ainda é a observação mais frequente.

*Esta tabela resume a estatística derivada da seguinte amostra: {1, 4, 4, 10, 3, 6, 9, 4, 4, 2, 2, 7, 4, 6, 8}. O valor 30 é usado como observação *outlier*.

- **Amplitude:** é a diferença entre os valores máximo e mínimo.
- **Amplitude interquartil (AIQ):** intervalo numérico de uma variável que contém os 50% do meio da amostra. O limite superior do intervalo é o quartil superior (75° quartil) e o limite inferior é o quartil inferior (25° quartil).
- **Desvio-padrão (DP):** as medidas de dispersão anteriores somente consideram o posto dos valores das observações. O DP também considera a magnitude da observação em questão. Nós consideramos a distância de cada observação em relação ao valor *médio* calculado dos dados.
- **Variância:** é o quadrado do DP.

O DP e a variância são sensíveis aos *outliers*, porém o AIQ não é (Tabela 4.2).

Apresentação de dados básicos

Os dados discretos podem ser facilmente interpretados a partir de uma tabela de contingência ou diagrama de barras. Aqui, nós enfocaremos a apresentação de dados contínuos por meio de gráficos.[3]

- **Histograma:** os histogramas são semelhantes aos gráficos de barras. As barras são construídas para intervalos de dados, sendo que a área (e não a altura) representa a frequência de observações junto a um intervalo.
- *Box* e *whisker plot*: também conhecido como *box plot*. Consiste em um retângulo orientado na vertical (às vezes, na horizontal) que representa a distribuição dos 50% do meio dos dados (AIQ), com uma linha horizontal que identifica a mediana. Os *whiskers* (barras em for-

TABELA 4.2   Amplitude, amplitude interquartil, desvio-padrão e variância*

	Outlier excluído	Outlier incluído
Amplitude	Mínimo = 1 Máximo = 10 **Amplitude = 1-10**	Mínimo = 1 Máximo = 30 **Amplitude = 1-30**
Amplitude interquartil	*1, 2, 2, 3, 4, 4, 4, 4, 4, 6, 6, 7, 8, 9, 10* Quartil inferior = 3 Quartil superior = 7 Amplitude interquartil = 7 – 3 = 4	*1, 2, 2, 3, 4, 4, 4, 4, 4, 6, 6, 7, 8, 9, 10, 30* Quartil inferior = 3,5 Quartil superior = 7,5 Amplitude interquartil = 7,5 – 3,5 = 4
Desvio--padrão	2,66	6,77
Variância	7,07	45,87

*Esta tabela resume a estatística derivada da seguinte amostra: {1, 4, 4, 10, 3, 6, 9, 4, 4, 2, 2, 7, 4, 6, 8}. O valor 30 é usado como observação *outlier*.

ma de "T"), que se estendem para cima e para baixo, exibem a variabilidade dos dados para fora da região dos quartis do meio. Entretanto, um *box plot* diferente usa pontos de referência distintos para os limites dos *whiskers*. Os valores *outliers* em certos casos são representados como pontos individuais (Fig. 4.1).

Distribuição dos dados

- Simétrica: uma distribuição simétrica é aquela em que as metades direita e esquerda são imagens espelhadas uma da outra (possuem o mesmo formato). Se a distribuição de dados for simétrica, a média e a mediana têm o mesmo valor.
- Distorcida: a distribuição assimétrica é descrita como distorcida ou enviesada. A distorção à direita implica uma cauda alongada do lado direito, enquanto a distorção à esquerda é um prolongamento em forma de corrimão à esquerda. Nessa distribuição, a média está localizada distante da mediana, na direção da distorção.

Na fase inicial da análise estatística, os dados obtidos são puramente descritos e essa descrição é resumida em uma tabela (características basais). Os dados discretos são apresentados simplesmente como frequências e percentuais. Entretanto, ao exibir dados contínuos em uma tabela, qual medida central e qual medida de dispersão dos dados seriam usadas (média e mediana ou DP e AIQ)? Cada variável contínua é analisada isoladamente. Se a variável comprovadamente apresenta uma distribuição mais ou menos simétrica, a média

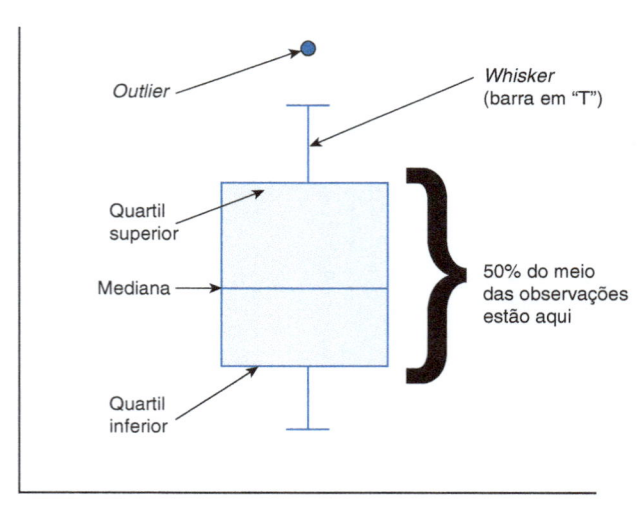

FIGURA 4.1   *Box plot* e *whisker plot.*

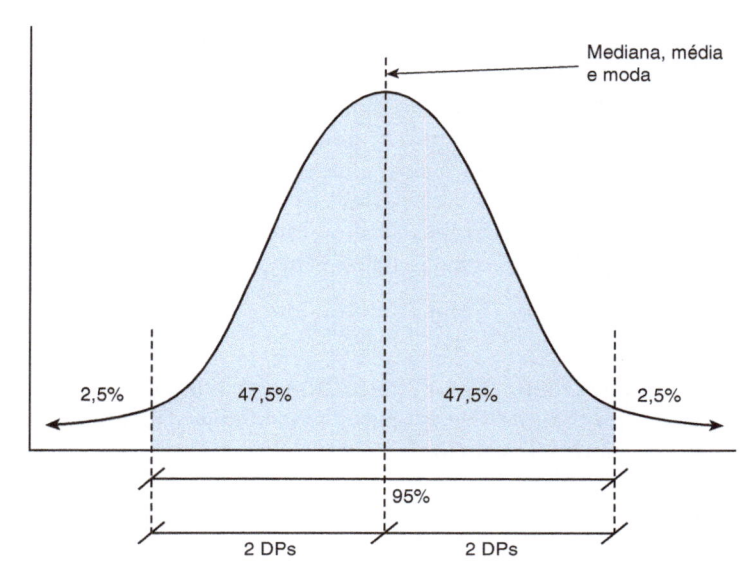

FIGURA 4.2 Curva da distribuição normal.

e DP são usados. Quando a distribuição da variável é nitidamente enviesada, a mediana e AIQ podem ser mais valiosos.

Distribuição normal

Uma distribuição normal (gaussiana) é uma distribuição simétrica, em forma de sino, na qual a mediana, a moda e a média coincidem e que é, absolutamente, contínua (sem valores máximo e mínimo). É extremamente importante na estatística, sobretudo por causa do teorema do limite central (TLC). Segundo o TLC, não importa qual seja o formato da distribuição original de uma amostra, à medida que o número de observações aumenta, a distribuição tende à normalidade. Ou seja, 95% das observações estão dentro de 2 DPs para qualquer lado da média (Fig. 4.2).

AVALIAÇÃO DA SIGNIFICÂNCIA

O motivo para realizarmos uma pesquisa médica é extrapolar nossos achados para a população geral. Uma amostra é obtida a partir da população e uma estatística é calculada a partir dos dados coletados. Isto significa que o valor calculado corresponde à média da população? A resposta é não. Nós devemos conhecer a precisão da estimativa e a probabilidade de termos obtido o valor ao acaso.

Hipótese nula

A hipótese nula é a de que não existe diferença entre dois grupos ou que o tratamento não produziu efeito. Na análise estatística, um teste estatisticamente significativo rejeita a hipótese nula e, portanto, aceita a hipótese alternativa (existência de diferença entre grupos ou um efeito do tratamento). Ao empregarmos a teoria estatística padrão (ou frequentista), porém, nunca podemos aceitar a hipótese nula, mesmo que o valor observado não seja estatisticamente significativo. A ausência de evidências não equivale à evidência de ausência.

Valor *P*

O valor *P* é um número entre 0 e 1 que representa a chance de obter o resultado observado ou um resultado de magnitude ainda maior, quando a hipótese nula é verdadeira (também chamado de erro tipo I. Veja a seção sobre Poder). Em outras palavras, se observarmos a partir de um ensaio a existência de efeito de um tratamento com *P* igual a 0,03, significa que existe uma probabilidade de 3% de este valor ter sido obtido ao acaso. O valor de corte arbitrário de *P* < 0,05 é usado com bastante regularidade para identificar resultados estatisticamente significativos. Os autores relatam o valor de corte de significância estatística escolhido na seção sobre métodos estatísticos do artigo.[1,2]

Intervalos de confiança

Conforme mencionado, não podemos usar um valor observado para fazer extrapolações para a população geral. Uma variação de possíveis valores verdadeiros para a população deve ser apresentada com base na informação obtida a partir da amostra observada. Em geral, um intervalo de confiança (IC) de 95% é construído em torno do resultado observado. Do ponto de vista estatístico, embora a explicação desse intervalo dada a seguir seja incorreta, facilita o entendimento do conceito associado. Um IC 95% fornece a você 95% de confiança de que o valor verdadeiro para a população está dentro dos limites do intervalo construído. Se o valor nulo (0 para diferença e 1 para razão) estiver dentro dos limites desse intervalo, não podemos rejeitar a hipótese nula. Entretanto, se o valor nulo estiver fora do intervalo, então *P* < 0,05 e a hipótese nula é rejeitada. Conforme o esperado, um IC estreito é preferível, sugerindo uma estimativa precisa do valor da população.

Poder

Existem dois tipos de erros que podem ocorrer ao interpretar os resultados de um estudo:

- **Erro tipo I:** denotado como α. Trata-se da probabilidade de observar um resultado estatisticamente significativo quando, na realidade, a hipótese nula é verdadeira.

- **Erro tipo II:** denotado por β. É a probabilidade de observar um resultado não significativo quando a hipótese alternativa é verdadeira.
- **Poder:** equivalente a 1 menos o erro tipo II $(1 - β)$. É a probabilidade de observar um valor estatisticamente significativo quando a hipótese alternativa é verdadeira. Tradicionalmente, os pesquisadores consideram que um poder de estudo igual a 80% é o valor mínimo para detecção de um efeito.

PRESSUPOSTOS

Os dados precisam estar ajustados a certos pressupostos, para que determinados testes sejam realizados. Os testes-padrão requerem que mais pressupostos sejam sustentados para um resultado ser corretamente interpretado. Por outro lado, o uso deste teste não é válido. Para os casos em que alguns pressupostos não se ajustam, existem *truques* que fazem os pressupostos do modelo estatístico se ajustarem. Se esses pressupostos não puderem ser atendidos, então métodos mais *robustos* são usados. O significado literal de *robusto* não é sustentado no contexto estatístico. É usado para descrever um procedimento estatístico cuja validação se apoia menos em pressupostos, em comparação a outras alternativas-padrão mais frequentemente usadas. Alguns pressupostos comuns são listados adiante.

Independência

As observações são consideradas independentes, quando o desfecho de uma observação não é direta ou indiretamente afetado por outro. Exemplificando, em um estudo comparativo da altura de bebês com a ingesta calórica diária, as observações são consideradas independentes se os bebês não forem gêmeos, não estiverem sob os cuidados do mesmo adulto e assim por diante.

Linearidade

As variáveis incluídas no modelo estatístico estão linearmente relacionadas (em linha reta) entre si. Usando o mesmo exemplo descrito anteriormente, se um aumento da ingesta calórica estiver associado a um aumento uniforme da altura do bebê, então o pressuposto da linearidade é sustentado.

Distribuição normal

Este pressuposto, com frequência, é feito para a variável desfecho. A melhor forma possível de tentar ajustar a distribuição variável para mimetizar uma distribuição normal é usar o TLC e aumentar o tamanho da amostra. Como isto é impossível na maioria dos casos, nós podemos transformar a variável para criar uma distribuição mais próxima do modelo. A transformação mais usada consiste em empregar o logaritmo (log) na base *e* dos valores do resultado.

PROCEDIMENTOS ESTATÍSTICOS PADRÃO

São testes que requerem o atendimento de certos pressupostos. Não vamos nos prolongar na abordagem dos pressupostos requeridos para cada um desses testes.[4]

Teste *t*

O teste *t* de duas amostras é um teste estatístico encontrado com bastante frequência na literatura. É usado para comparar dois grupos definidos quanto a uma variável contínua. Esses grupos podem ser pareados ou não pareados. O teste *t* não pareado pode ser empregado no exemplo da comparação de médias de pressão arterial sistólica entre dois grupos que diferem quanto ao sexo. O teste *t* pareado seria aquele que compara as médias de pressão arterial sistólica de uma mesma amostra, antes e após o uso de medicações anti-hipertensivas. Um $P < 0,05$ sugere a existência de evidências indicativas de diferença entre os dois grupos.

χ^2 de associação

A associação de χ^2 é usada como método para testar a associação de variáveis categóricas. Um $P < 0,05$ indica a existência de evidência de uma associação entre as duas variáveis. Um teste similar, usado para amostras menores, é o teste exato de Fisher.

Correlação de Pearson

Um método empregado para testar a associação existente entre duas variáveis contínuas. Um coeficiente de correlação é calculado, que assume valores entre -1 e 1. Quando o valor é positivo, uma variável aumenta à medida que a outra aumenta. Se o valor for negativo, à medida que uma variável aumenta, a outra diminui. Um valor igual a zero implica a inexistência de uma relação linear. Valores iguais a 0,5-0,6 implicam a existência de uma correlação moderada; valores de 0,6-0,7 sugerem uma boa correlação; e valores iguais a 0,7-0,8 sugerem a existência de uma correlação excelente. Ainda que pouco comum, é possível encontrar coeficientes de correlação de magnitude superior a 0,8. Um coeficiente igual a 1 infere a existência de uma relação perfeitamente direta, que jamais é observada.

Regressão linear

Trata-se de um modelo estatístico que constitui a base de muitos modelos mais complexos, entre os quais Cox, logística e regressão linear logarítmica. Aqui, nós discutiremos a regressão linear apenas brevemente. A regressão linear é usada quando a variável desfecho é contínua.

■ **Regressão linear simples:** este método constrói uma reta que é mais adequada, passando pelos dados observados da variável desfecho, contra uma covariável ou variável preditora (p. ex., idade, sexo, condição de fumante, tratamento). A regressão linear simples calcula um coeficiente de regressão, que consiste em uma inclinação que sugere o aumento ocorrido na variável desfecho para cada unidade de aumento (contínua) ou alteração na categoria (discreta) da variável preditora. Se considerarmos novamente o exemplo da pressão arterial sistólica e assumirmos que ela possui uma relação linear com a idade, um coeficiente de regressão positivo (digamos, igual a 2) sugere que a pressão arterial sistólica esperada sofre um aumento igual a 2 para cada acréscimo de um ano na idade da amostra observada. Se o coeficiente de regressão fosse negativo, então a pressão arterial esperada sofreria uma diminuição igual a 2 para cada acréscimo de um ano na idade. Um coeficiente de regressão igual a 0 implica a inexistência de associação entre desfecho e variável preditora. No caso de uma variável preditora discreta (sexo), um coeficiente de regressão pode ser calculado para a condição de sexo masculino (digamos, igual a 5). Desta forma, podemos concluir que a pressão arterial sistólica é cinco unidades maior em homens do que nas mulheres.

■ **Regressão linear múltipla:** também é chamada de regressão linear de variáveis múltiplas. É bastante útil para a identificação de possíveis fatores geradores de confusão. Considerando nosso exemplo anterior, se percebêssemos que a média da faixa etária no grupo de indivíduos do sexo masculino é maior do que no grupo de indivíduos do sexo feminino, esperaríamos que o efeito geral do sexo sobre a pressão arterial estivesse superestimado. Assim, a regressão linear múltipla é usada para calcular coeficientes *ajustados* (em vez de coeficientes *brutos* ou *marginais*). Portanto, se o coeficiente de regressão para a idade for igual a 2, estando a idade e o sexo incluídos no modelo de regressão, a interpretação é a seguinte: para cada acréscimo de um ano na idade, observamos um aumento de duas unidades na pressão arterial sistólica, mediante ajuste para o sexo (ou mantendo-o constante).

Os resultados obtidos após o uso dos testes descritos seriam inválidos se as considerações dos procedimentos correspondentes não fossem atendidas. Entre os métodos mais robustos, estão o teste U de Mann Whitney, correlação de *ranking* de Spearman, procedimentos de permutação, *bootstrapping*, estimadores sanduíche, entre outros. Infelizmente, existe uma troca entre a força de um teste e o seu poder.

INTERPRETAÇÃO DA ESTATÍSTICA ESPECÍFICA PARA CADA ESTUDO

Estatística em estudos transversais[5]

- **Prevalência:** proporção de indivíduos submetidos a uma determinada exposição ou que apresentam um desfecho de interesse em um determinado momento.
- **Razão de prevalência:** razão de prevalência entre dois grupos. Uma razão de prevalência da infecção por HIV para as populações A e B igual a 1,5 implica uma prevalência da infecção por HIV da ordem de 50% maior na população A. Uma razão de prevalência inferior a 1 (digamos, igual a 0,8) implica uma prevalência da infecção na população A de 20% ([1– 0,8] * 100) menor do que na população B. Uma razão de prevalência igual a 1 sugere que não há diferença de razão de prevalência entre as duas populações.
- **Razão de chance* (RCs):** veja a próxima seção.

Estatística em estudos de caso-controle

- **Prevalência**
- **Chance (ODDS) de exposição:** proporção entre expostos e não expostos.
- **RC de exposição:** a razão de chance de exposição no grupo de doentes (casos) para chance de exposição no grupo sem doença (controle). A interpretação é similar a da razão de prevalência.

Estatísticas em estudos de coorte

- **Prevalência**
- **Incidência cumulativa (risco):** a proporção de casos novos que se desenvolvem ao longo de um período de tempo fixo, a partir de uma população de indivíduos que apresentam risco. Quando os números são pequenos demais, os valores são apresentados por milhar. Como o tempo de seguimento pode variar entre os indivíduos de um estudo, às vezes, a taxa pode ser mais apropriada.
- **Taxa:** proporção de casos novos que desenvolvem doença fora do momento de risco da população de indivíduos.
- **Razão risco/taxa:** a razão risco/taxa entre grupo de exposição e grupo sem exposição. Também chamada *risco relativo* (RR). A interpretação é similar a da razão de prevalência.
- **Risco absoluto/diferença de taxa:** a diferença no risco/taxa entre os grupos exposto e não exposto. Enquanto os valores positivos implicam um aumento absoluto do risco no grupo de exposição, os valores negativos implicam a redução absoluta do risco no grupo de exposição.

---

* N. de R.T.: Razão de chance, em inglês, é *odds ratio*.

	Doença PRESENTE	Doença AUSENTE
Teste POSITIVO	**A** Verdadeiro-positivos	**B** Falso-positivos
Teste NEGATIVO	**C** Falso-negativos	**D** Verdadeiro-negativos

	Doença PRESENTE	Doença AUSENTE	Total
Exposição PRESENTE	**A**	**B**	**A+B**
Exposição AUSENTE	**C**	**D**	**C+D**
Total	**A+C**	**B+D**	**N**

Sensibilidade: A/(A+C)
Especificidade: D (D+B)
Probabilidade pré-teste: (A+C)/(A+B+C+D)
VPP*: A/A+B
VPN**: D/C+D

A

Razão de chance: $\dfrac{A/C}{B/D} = \dfrac{AD}{BC}$

Risco relativo: $\dfrac{A/(A+B)}{C/(C+D)}$

Risco atribuível: A/(A+B) – C/(C+D)

B

FIGURA 4.3 Quadrados estatísticos de Punnett representando cálculos simples para sensibilidade, especificidade, razão de chance, risco relativo, risco atribuível, valor preditivo positivo (VPP) e valor preditivo negativo (VPN).

Também pode ser chamada *risco atribuível*. É a medida do risco adicional atribuído pela exposição.

■ **Número necessário para tratar:** é o número de indivíduos que precisam ser tratados para evitar uma morte ou evento. É o inverso do risco atribuível (1/risco atribuível).

■ **Chance de doença:** razão doença:não doença.

■ **RC da doença:** razão de chance de doença no grupo exposto para chance de doença no grupo não exposto.

Note que a RC de exposição e a RC de doença empregam a mesma fórmula. Entretanto, são interpretadas de modos distintos nos estudos de caso-controle (RC de exposição) e nos estudos de coorte (RC de doença). Embora o risco, a taxa e as RCs possam ser usadas em estudos de coorte, o risco é usado com uma frequência relativamente maior (Fig. 4.3).

Estatística em ensaios clínicos randomizados

■ **Risco, taxa e RC:** exceto quando substituímos os nomes dos grupos, de grupos exposto e não exposto para grupos de intervenção e controle.

APRESENTAÇÃO GRÁFICA

Além de proporcionarem a compreensão da terminologia e dos números, os diagramas são bastante informativos em artigos médicos. Contudo, uma grande parte dessa informação é perdida quando não se sabe como interpretar estas ilustrações.

Curvas de sobrevida

Os dados de sobrevida tornam a análise intrincada e complexa. Isto se deve a numerosos fatores, como censura (indivíduos perdidos para seguimento ou que não atingem o "evento" ao final do período de estudo) e distribuições de duração altamente distorcidas (alguns indivíduos apresentam duração muito longa e outros têm duração relativamente curta).[6,7] Os objetivos das curvas de análise de sobrevida são:

- Estabelecer um modelo do padrão de sobrevida ao longo de um período de tempo.
- Investigar os fatores que influenciam a duração da sobrevida.
- Comparar duas ou mais modalidades quanto ao padrão de sobrevida.
- Estimar a sobrevida futura de indivíduos ou grupos com as características especificadas.

Foram empregados numerosos métodos para analisar este tipo de dados. Um dos mais comuns é a curva de Kaplan-Meier.

- Curvas de Kaplan-Meier: este método é usado quando os indivíduos são continuamente observados e a duração exata ou o tempo de evasão é desconhecido. Para interpretar um gráfico desse tipo, é preciso conhecer os diferentes elementos do gráfico (Fig. 4.4).
  - Ajuste geral: o tempo abrangido pela curva é quebrado em intervalos e o percentual de sobrevida no início de qualquer intervalo é igual à probabilidade de sobreviver a cada um dos intervalos precedentes, multiplicados todos juntos. Primeiro, suponha que a curva tenha atingido 60% após dois anos. Suponha, então, que no terceiro ano, 10% dos pacientes *sobreviventes* morram e os 90% restantes sobrevivam. Em consequência, no início do quarto ano, você poderá calcular que 90% de 60% é igual a 54% de pacientes ainda vivos.
  - Aspecto de escada: o formato geral desta curva de sobrevida é um formato de escada, que mimetiza a experiência real de uma população de estudo. Assim, a curva desce um degrau a cada morte e é horizontal entre as mortes, e isso confere a clássica aparência de escada.
  - Linhas horizontais: duração da sobrevida para o intervalo.
  - Linhas verticais: parcialmente usadas para fins de estética visual (para facilitar a visualização das linhas horizontais). Também representa a probabilidade cumulativa, à medida que a curva avança.
  - Eixo *y*: proporção de indivíduos sobreviventes.

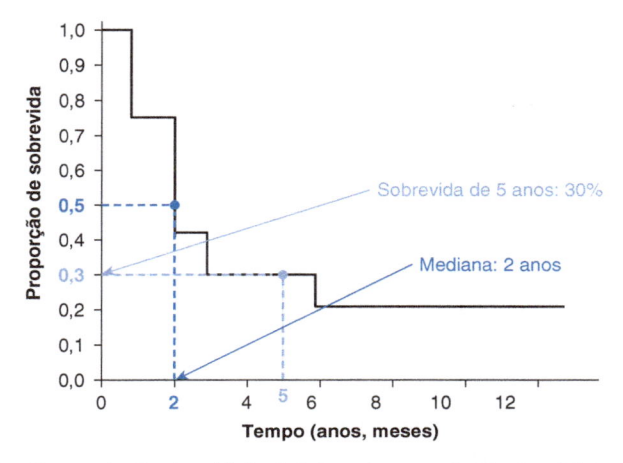

FIGURA 4.4 Curva de Kaplan-Meier básica. A curva de Kaplan-Meier consiste em um eixo *x* representando o tempo (anos ou meses) e um eixo *y* representando a proporção de sobrevida. A mediana da sobrevida é o momento em que o percentual de sobrevida é igual a 50%. A curva desce um degrau a cada morte e é horizontal entre as mortes, e isto lhe confere a clássica aparência de escada.

- **Eixo *x*:** tempo que se segue ao início da observação. É importante saber que mesmo quando se começa observando ou tratando pacientes diferentes em momentos distintos, a curva representa a experiência de cada paciente a partir do momento em que a observação ou o tratamento começou para o paciente. Exemplificando, se um paciente é incluído no estudo clínico quatro meses antes da inclusão de outro paciente, e ambos sobrevivem por um ano após terem entrado no ensaio clínico, ambos são considerados sobreviventes em um ano na curva de sobrevida.
- A mediana da sobrevida é o momento em que o percentual de sobrevida é igual a 50%.
- **Dados de censura:** remoção matemática de um paciente de uma curva ao final de seu período de seguimento. A meta é produzir uma curva de sobrevida que seja a mais acurada possível, considerando todas as informações disponíveis. Quando um paciente é censurado, a curva não desce um degrau, como ocorre diante da morte de um paciente. De fato, a menos que a curva tenha marcas de escala para mostrar em que ponto os pacientes foram censurados, não haverá nenhuma informação que indique quando um paciente foi censurado. Como a censura de uma observação diminui o número de pacientes que contribuem para a curva, cada morte que ocorre após uma censura representa uma proporção maior da população rema-

nescente. Assim, cada degrau para baixo será um pouco maior do que teria sido se os indivíduos não tivessem sido censurados.

Os diferentes tipos de curvas de sobrevida incluem (Fig. 4.5):

- **Gráficos que terminam em platô:** estas curvas sugerem que os pacientes estão sendo curados ou que não ocorrem "mortes", pois não há degraus para baixo no gráfico. Dois gráficos podem atingir o platô em seis anos, quando exibem inicialmente uma inclinação mais gradual (indicando uma menor probabilidade de que os pacientes sobrevivam em seis anos de seguimento), *versus* um platô com uma inclinação mais suave que indica uma maior probabilidade de os pacientes estarem vivos em seis anos. A Figura 4.5A mostra uma curva horizontal, que começa a exibir um platô decorridos oito anos/meses na sobrevida aproximada de 60%. Essa curva de sobrevida seria mais ominosa se a inclinação fosse mais gradual e começasse a formar um platô em 10%.
- **Curvas que caem a zero:** estas curvas implicam a não sobrevivência de todos (ou de quase todos) ao final do período de seguimento. Examinar a inclinação é extremamente importante, porque duas curvas que atingem o eixo x podem ser interpretadas de modos diferentes com base na inclinação. Se a inclinação for mais achatada, então mesmo que não haja sobreviventes no final, os indivíduos terão sobrevivido por alguns anos (conforme ilustrado pela Fig. 4.5B).
- **Curvas de comparação:** ao interpretar duas curvas de sobrevida quanto a dois ou mais tratamentos diferentes, é preciso considerar a inclinação da reta e a tendência (se forma platô ou atinge o zero). Se uma curva permanecer continuamente "acima" da outra, como as curvas da Fig. 4.5C, a conclusão será que o tratamento associado à curva mais alta foi mais efetivo para os pacientes. Curvas mais próximas indicam a existência de pouca ou nenhuma diferença entre os tratamentos. A Fig. 4.5C mostra que o tratamento A é superior ao tratamento B, porque cerca de 60% dos pacientes estão vivos e continuam vivos em oito anos com o tratamento A, mas somente 30% estão vivos e permanecem vivos em oito anos com o tratamento B.
- **Regressão de Cox:** as curvas de Cox são usadas para delinear o papel das covariações que afetam a duração da sobrevida.[3,6,7] As covariações incluem o tratamento recebido pelo paciente, a idade ou peso do paciente, ou a dose de fármaco. Essa curva frequentemente emprega uma *hazard ratio*. A *hazard ratio* é a probabilidade de morrer (ou experienciar o evento em questão) com a condição de que o paciente tenha sobrevivido até um determinado momento. Em outras palavras, é a chance instantânea de morte (ou evento). Contudo, a *hazard ratio* independe do tempo.[7] O método de riscos proporcio-

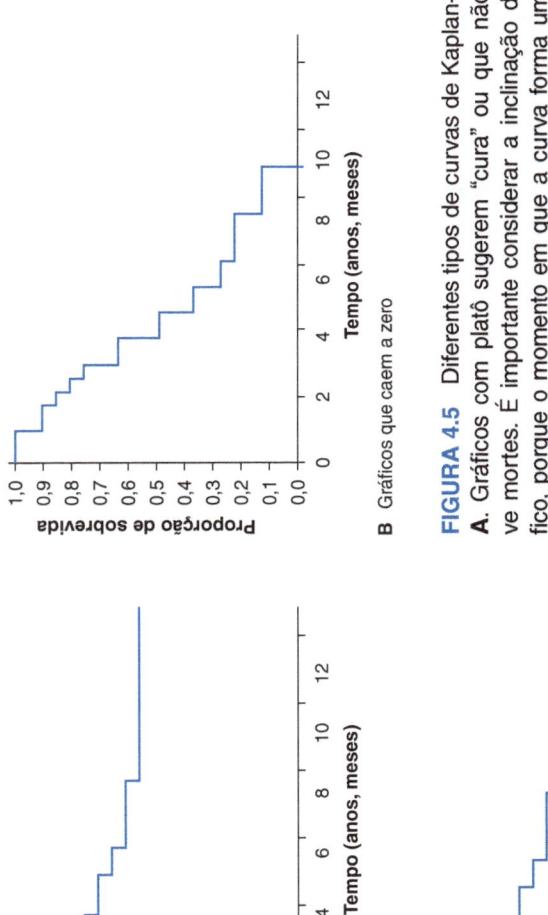

A Gráficos com platô

B Gráficos que caem a zero

C Curvas de comparação

Tratamento A

Tratamento B

Eixos: Proporção de sobrevida × Tempo (anos, meses)

FIGURA 4.5 Diferentes tipos de curvas de Kaplan-Meier. **A.** Gráficos com platô sugerem "cura" ou que não houve mortes. É importante considerar a inclinação do gráfico, porque o momento em que a curva forma um platô (com base na inclinação) pode ter significados diferentes. **B.** Gráficos que terminam em zero sugerem que ninguém ou quase ninguém foi curado. Também é importante considerar a inclinação da reta. **C.** Os gráficos comparativos são regularmente usados para comparar a sobrevida entre ou dentro de dois ou mais tratamentos. A curva mais alta, com frequência, implica tratamentos mais efetivos, e quanto mais próximas as curvas estiverem entre si, maior é a probabilidade de não haver diferença entre os tratamentos.

nais calcula um coeficiente para cada variável preditora que indica a direção e o grau de flexibilidade que o preditor exerce sobre a curva de sobrevida. O zero implica que uma variável não afeta a curva (não é preditora). Uma variável positiva indica que valores maiores da variável estão associados a uma mortalidade mais alta. Saber estes coeficientes nos permite construir uma curva de sobrevida "customizada" para qualquer combinação particular de valores preditivos. E o mais importante é que o método fornece uma medida do erro de amostragem associado a cada coeficiente de preditor.[2]

Curva de características operacionais do receptor

Para melhor entender as curvas de características operacionais do receptor (ROC)*, é essencial estar familiarizado com a terminologia.[8]

- **Sensibilidade:** proporção de pacientes *com* doença que apresentam resultado de teste positivo ou proporção de resultados verdadeiro-positivos corretamente identificados.
- **VP/[VP + FN]****
- **Especificidade:** proporção de pacientes *sem* doença que apresentam resultado de teste negativo. Alternativamente, a proporção de resultados verdadeiro-negativos corretamente identificados: VN/[VN + FP].
- **Valor preditivo positivo (VPP):** probabilidade de ter doença de fato, quando o resultado do teste é positivo: VP/[VP + FP]**.
- **Valor preditivo negativo (VPN):** probabilidade de *não* ter doença de fato, quando o resultado do teste é negativo: VP/[VN + FN].
- **Probabilidade pré-teste:** probabilidade estimada de doença antes da realização do teste. Quando uma população de pacientes definida está sendo avaliada, a probabilidade pré-teste é igual à **prevalência** da doença nessa população. É a proporção de todos os pacientes com doença: [VP + FN]/[VP + FP + VN + FN] (Tabela 4.3).

Agora, vamos retomar a curva ROC. Trata-se de uma técnica gráfica para descrever e comparar a **acurácia** dos exames diagnósticos, que é obtida por meio da representação gráfica da sensibilidade de um teste no eixo *y versus* (1 – especificidade) representada no eixo *x*. A área sob a curva ROC fornece uma medida do desempenho geral de um teste diagnóstico. A curva pode ser usada para selecionar valores de corte ideais para um resultado de teste, avaliar a acurácia diagnóstica e comparar a eficácia de testes diferentes.

Em geral, quando desejamos descrever a "presença" ou "ausência" de uma doença, há certos valores de corte que são necessários para satisfazer as

---

* N. de R.T.: ROC, do inglês *receiver operating characteristic*.

** N. de R.T.: Verdadeiro-positivo (VP); falso-negativo (FN); verdadeiro-negativo (VN); falso-positivo (FP).

TABELA 4.3 Utilidade e qualidade de um teste

Sensibilidade	Probabilidade de que o exame diagnóstico indique a presença de doença quando a doença de fato está presente (razão de verdadeiro-positivo)	Qualidade de um teste
Especificidade	Probabilidade de um teste diagnóstico indicar a ausência de doença quando a doença de fato está ausente	Qualidade de um teste
Valor preditivo positivo (VPP)	Probabilidade de um resultado de teste positivo de fato significar a presença de doença	Utilidade de um teste
Valor preditivo negativo (VPN)	Probabilidade de um resultado de teste negativo de fato significar a ausência de doença	Utilidade de um teste

definições de doença. Conforme mencionado, a sensibilidade e a especificidade de um teste dependem do nível de valor de corte escolhido para separar o normal (negativo) do anormal (positivo). A curva ROC ajuda a definir aquilo que constitui um teste anormal. Os componentes de uma curva ROC incluem:

- **Eixo y:** sensibilidade (proporção de resultados verdadeiro-positivos), que vai de 0 a 1 (0 a 100%). Também conhecida como "taxa de verdadeiro-positivo".
- **Eixo x:** (1 – especificidade) (proporção de resultados falso-positivos), que vai de 0 a 1 (0 a 100%).[8] Também conhecida como "taxa de verdadeiro-negativo".
- **Linha de referência:** linha diagonal que se estende do canto esquerdo inferior até o canto direito superior do gráfico e serve de linha de referência. Representa as características de um teste, que são totalmente inúteis para diferenciar indivíduos com e sem doença.[8] Os pontos situados ao longo dessa linha indicam que o teste detecta um número igual de verdadeiro-positivos e falso-positivos, ou seja, não discrimina indivíduos com e sem doença.[9]
- Um teste perfeito idealmente teria 100% de especificidade e 100% de sensibilidade. A implicação disto é que esse teste seria capaz de discriminar indivíduos doentes e não doentes. A curva mais próxima que emularia isto seria a mais próxima do canto esquerdo.
- **Área sob a curva (AUC*):** a AUC é útil como medida única, independente da prevalência, que resume a capacidade de discriminação de um teste ao longo de todo o intervalo de valores de corte. Reflete a capacidade do teste na distinção de pacientes com e sem doença. Quanto maior for a AUC, melhor será o teste.[10] Em geral, quanto mais próxima de 1 for a AUC, melhor será o desempenho diagnóstico geral do teste. E quanto mais próxima de 0,5 estiver a AUC, mais fraco será o exame (Fig. 4.6).

---

* N. de R.T.: AUC, do inglês *area under the curve*. Utiliza-se a sigla em inglês.

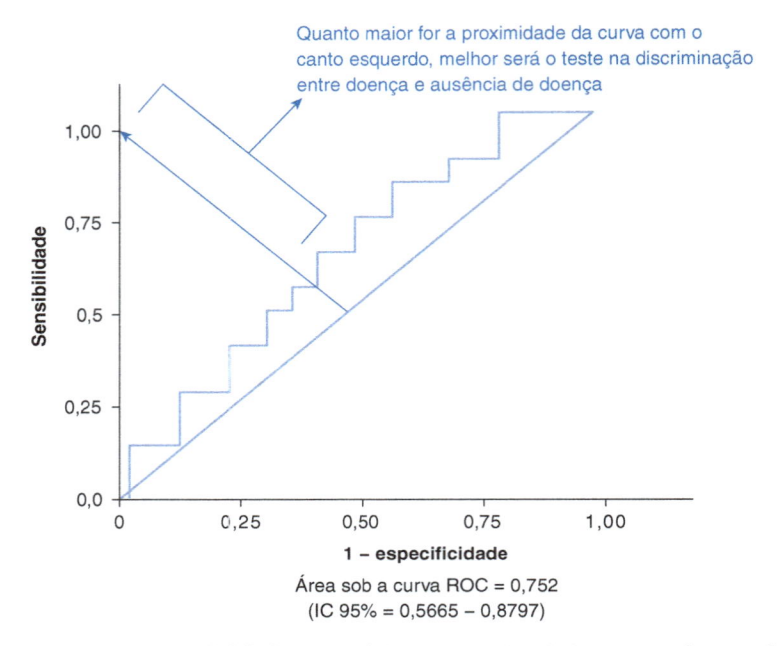

Área sob a curva ROC = 0,752
(IC 95% = 0,5665 – 0,8797)

FIGURA 4.6 A curva ROC (característica operacional do receptor), que é uma técnica geral para descrição e comparação da acurácia de exames diagnósticos, é obtida por meio da representação gráfica da sensibilidade de um teste no eixo *y versus* (1 – especificidade) no eixo *x*.

Gráficos de floresta (*forest plots*)

Muitas das decisões clínicas, atualmente, são baseadas na MBE derivada de estudos científicos. Para manter o conhecimento médico atual, será necessário ler um grande número de artigos médicos publicados em diversas referências e muitos periódicos, diariamente. Para enfrentar esse desafio, foi criado um método de revisão sistemática.[9] Um dos artigos médicos mais valiosos é a metanálise, que consiste em um método sistemático de avaliar dados estatísticos com base nos resultados de vários estudos independentes sobre um mesmo problema. Um desses métodos de análise para problemas com delineamento clínico é o gráfico de floresta (*forest plot*).

Os gráficos de metanálise são comumente exibidos em forma de gráficos de floresta. A maioria das metanálises combina dados oriundos de múltiplos estudos intervencionistas. Algumas metanálises contêm variáveis binárias (p. ex., doença *vs.* sem doença) expressas como razões, enquanto outras contêm dados contínuos (p. ex., níveis séricos de creatina) que são expressos como "diferença média ponderada*" (WMD) (Fig. 4.7).

---

* N. de R.T.: WMD, do inglês *weighted mean difference*.

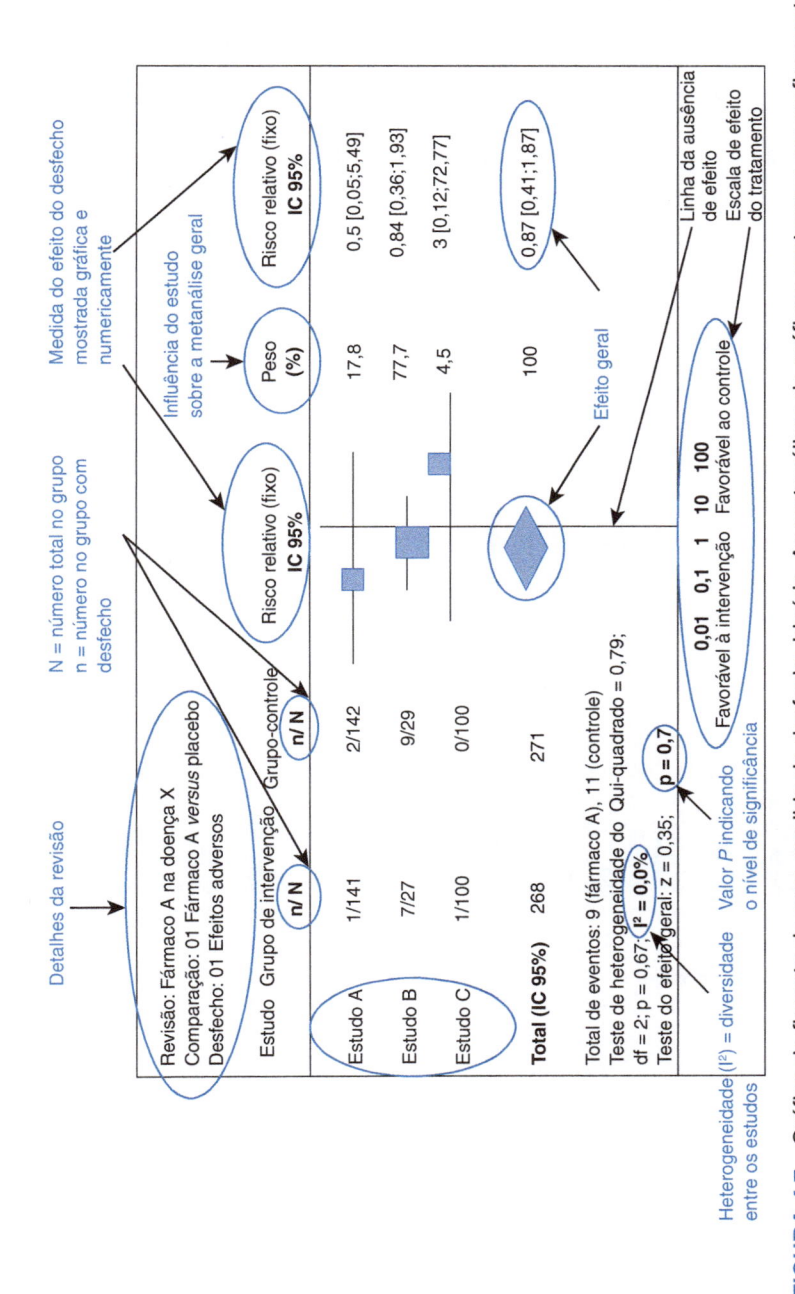

FIGURA 4.7 Gráfico de floresta de uma medida de desfecho binário. As metanálises de gráficos costumam ser graficamente apresentadas como gráficos de floresta. (Adaptada de Ried K. Interpreting and understanding meta-analysis graphs – a practical guide. *Aust Fam Physician.* 2006;35(8):635-638.)

Um gráfico de floresta é tipicamente expresso em seis colunas, com os dados de estudo individuais dispostos em linhas.

1. **Detalhes da revisão:** um pequeno resumo do propósito ou meta dos estudos, incluindo a especificação da comparação e as medidas de desfecho.

2. **Primeira coluna:** lista as identificações do estudo usadas na metanálise.

3. **Segunda e terceira colunas:** contêm os grupos de população do estudo.

   a. **Em medidas de desfecho contínuo:** o número total de participantes do grupo é incluído como N, média e DP.
   b. **Em medidas de desfecho binário:** n é o número de participantes que apresentam o desfecho, enquanto N é o número total de participantes no grupo.

4. **Quarta coluna:** exibe graficamente os resultados do estudo. A linha do meio é referida como "linha da ausência de efeito", que ilustra a inexistência de diferença entre os grupos de intervenção e controle. Refere-se a uma WMD igual a 0 em medidas de desfecho contínuo ou a um RR ou RP igual a 1 nas medidas de desfecho binário.

   a. **Eixo de valor:** na parte inferior do gráfico, favorece o grupo de intervenção com base no desfecho estudado (Tabela 4.4).
   b. **Tamanho de cada *box*:** diretamente relacionado ao "peso" do estudo na metanálise.

TABELA 4.4   **Comparação dos efeitos do desfecho para variáveis binárias e contínuas em um gráfico de floresta**

Medida do efeito do resultado	Binária	Contínua
Linha de ausência de efeito	Razões: RR ou RC = 1	Diferença entre médias, WMD = 0
Se o desfecho for **indesejável:** ataque cardíaco	Favorece a intervenção no lado **esquerdo** da escala (**razão** < 1)	Favorece a intervenção no lado **esquerdo** da escala (**WMD** < 0)
Se uma medida de efeito do desfecho **diminuída** for **desejável:** pressão arterial diminuída	Favorece a intervenção no lado **esquerdo** da escala (**razão** < 1)	Favorece a intervenção no lado **esquerdo** da escala (**WMD** < 0)
Se a medida do efeito do desfecho for **desejável:** parar de fumar	Favorece a intervenção no lado **direito** da escala (**razão** > 1)	Favorece a intervenção no lado **direito** da escala (**WMD** > 0)

RC = razão de chance; RR = risco relativo; WMD = *weighted mean difference*.

5. *Whiskers*: representa o IC, em que quanto maior for a barra em forma "T", maior será o IC e, portanto, menos preciso será o resultado do estudo. Os casos em que há setas nas barras em "T" ilustram que o IC é maior do que o espaço existente no gráfico.

6. Peso (%): o "peso" de um artigo ilustra a influência do estudo sobre os resultados gerais da metanálise de todos os estudos incluídos. Quanto maior for o percentual, maior será o *box* e maior será a influência do estudo sobre os resultados gerais. Isto é determinado pelo tamanho da amostra do estudo e pela precisão dos resultados dados como evidenciados por ICs mais estreitos.

7. Resultados numéricos: representados como risco relativo (RR) de medidas de desfecho binário ou como WMD de medidas de desfecho contínuo. Representam o valor numérico do resultado graficamente exibido na coluna anterior.

8. Efeito total do estudo: é representado numérica ou graficamente, de forma típica na última linha. O diamante amplo é a representação gráfica do efeito total ou resultado da metanálise como um todo. A parte média do diamante corresponde à estimativa do efeito geral (RR ou WMD), enquanto a largura corresponde ao IC.

   a. Metanálise estatisticamente significativa:
      i. Quando o diamante não cruza 0 (WMD para contínuo) ou 1 (RR para binário)
      ii. valor $P < 0,05$

9. Teste de heterogeneidade (I^2): este valor varia entre 0 e 100% e ilustra a diversidade ou variabilidade existente entre os estudos. Fornece uma indicação do quão comparáveis são os diferentes estudos. Quanto menor for o número, mais comparáveis são os estudos e isso fortalece a metanálise. Outra forma de avaliar a variabilidade é observar se as barras em "T" (*whiskers*) (IC) dos estudos apresentam sobreposição. A existência de sobreposição implicaria em uma maior homogeneidade.

- *Hazard ratios*: as *hazard ratios* descrevem o desfecho de ensaios clínicos terapêuticos para determinar até que ponto o tratamento pode encurtar a duração de uma doença. É o risco relativo de uma complicação com base na comparação das taxas de eventos. É aplicável a qualquer situação em que os indivíduos apresentem tempos diferentes para a ocorrência de um evento ou desfecho de interesse. Em um estudo clínico em que a resolução da doença é o desfecho final, a *hazard ratio* indica a probabilidade relativa de resolução da doença em indivíduos tratados *versus* indivíduos controle em qualquer ponto ao longo do tempo.[10]

- A inclinação da curva de sobrevida é uma medida da velocidade com que os indivíduos estão morrendo.
- Expressão de *hazard* ou chance dos eventos que estão ocorrendo no braço tratamento como razão de *hazard* dos eventos que estão ocorrendo no braço-controle. O termo *hazard ratio* é usado com frequência de maneira intercambiável com o termo *razão de risco relativo*, para descrever resultados em ensaios clínicos.
- Calculado por meio da utilização de uma técnica estatística conhecida como análise de sobrevida. A análise de sobrevida acompanha o número de indivíduos que *não* apresentaram o evento em um dado momento ou durante um determinado intervalo de tempo. Os dados são, então, representados graficamente ao longo de todo o intervalo de tempo do estudo, e os resultados são inseridos no gráfico como uma curva decrescente. A curva diminui com o avanço do tempo, assim como o número de pacientes que apresentam o evento.
- Grosseiramente definida como a "taxa de eventos instantânea condicional calculada em função do tempo".
- Uma *hazard ratio* = 1: não há diferença de *hazard* entre ambos os grupos.
- Uma *hazard ratio* > 1: o evento desejado está acontecendo mais rapidamente no grupo tratado do que no grupo-controle.
- Uma *hazard ratio* < 1: o evento de interesse está acontecendo mais devagar no grupo tratado do que no grupo-controle.
- Em geral, a eficácia do tratamento é denotada por uma *hazard ratio* < 1 em ensaios de prevenção e por uma *hazard ratio* > 1 em ensaios sobre tratamento.
- Uma *hazard ratio* igual a 2 implica que, a qualquer momento, um número duas vezes maior de pacientes no grupo ativo está apresentando um evento, de modo proporcionalmente comparável ao grupo-controle. Uma *hazard ratio* igual a 0,5 significa que metade dos pacientes do grupo ativo apresentam um evento em qualquer ponto ao longo do tempo, em comparação com o placebo e, mais uma vez, de modo proporcional.
- As *hazard ratio* não são usadas somente para determinar a sobrevida, mas também para descrever como muitas pessoas podem atingir um determinado ponto no tempo sem apresentar riscos nem outros eventos que não a morte (p. ex., tendo um ataque cardíaco).

A estatística empregada em pesquisa tende a ser complexa e, muitas vezes, requer os conhecimentos especializados de um estatístico, não apenas para interpretar os dados como também para auxiliar na escolha do tipo de teste usado para validar os dados. Sendo assim, não entender completamente este aspecto em sua essência é normal e apenas esperado. Espero que este

TABELA 4.5   Manual de testes estatísticos

Teste estatístico	Valor	Observações
Intervalo de confiança (IC)	1. Estatisticamente significativo: quando IC NÃO inclui 1 2. Clinicamente significativo: IC estreito	Largura do IC: indica a quantidade de variabilidade e reflete o tamanho da amostra; também indica a significância clínica.
Razão de chance (RC) e risco relativo (RR)	1. RC > 1: o risco é maior no grupo exposto 2. RC < 1: o risco é menor no grupo exposto 3. RC = 1: sem diferença	Quanto maior for a RC, mais forte será a associação existente entre exposição e doença.
Número necessário para tratar (NNT) (1/RAR)	Quanto menor for o número, mais efetivo é o tratamento em termos de produção de um efeito significativo de mudança.	Exemplificando, para cada 100 indivíduos tratados, cinco mortes são evitadas. Sempre que o NNT é considerado, temos que especificar o período de seguimento no decorrer do qual a diferença foi observada, e o desfecho desfavorável evitado.
Número necessário para o dano (NND)	Quanto maior for este número, mais seguro será o tratamento para causar algum dano.	Exemplificando, tratamos 500 indivíduos para que um apresente danos.
Redução do risco absoluto (RAR)	(TEC – TEE)	–
Redução do risco relativo (RRR)	100-RR% (TEC – TEE)/TEC	–

TEC = taxa de evento controle; TEE = taxa de evento experimental.

capítulo tenha elucidado os métodos estatísticos mais comumente usados na pesquisa médica. A Tabela 4.5 resume conceitos adicionais que são usados não só na literatura médica, como também em avalições médicas.

Referências

1. Swinscow TDV, Campbell MJ. *Statistics at Square One*. London: BMJ Books; 2002.
2. Lawless JF. *Statistical Models and Methods for Lifetime Data*. New York: John Wiley & Sons; 1982.
3. Armitage P, Berry G, Matthews JNS. *Statistical Methods in Medical Research*. 4th ed. Oxford, UK: Blackwell Science; 2002.
4. Lang TA, Secic M. *How to Report Statistics in Medicine: Annotated Guidelines for Authors, Editors, and Reviewers*. Philadelphia: American College of Physicians; 1997.

5. Fischer JE, Bachman LM, Jaeschke R. A readers' guide to the interpretation of diagnostic test properties: clinical example of sepsis. *Intensive Care Med.* 2003; 29:1043-1051.
6. Indrayan A, Bansal AK. The methods of survival analysis for clinicians. *Indian Pediatr.* 2010;47(9):743-748.
7. Bewick V, Cheek L, Ball J. Statistics review 12: survival analysis. *Crit Care.* 2004; 8(5):389-394.
8. Akobeng AK. Understanding diagnostic tests 3: Receiver operating characteristic curves. *Acta Paediatr.* 2007;96(5):644-647.
9. Ried K. Interpreting and understanding meta-analysis graphs—a practical guide. *Aust Fam Physician.* 2006;35(8):635-638.
10. Spruance SL, Reid JE, Grace M, Samore M. Hazard ratio in clinical trials. *Antimicrob Agents Chemother.* 2004;48(8):2787-2792.

5

COMO PLANEJAR A PESQUISA

ABORDAGEM DA PERGUNTA DE PESQUISA

Fazer perguntas dirigidas, com base em necessidades práticas, é uma das formas mais efetivas de identificar qual pesquisa é relevante. Considerando a limitação da disponibilidade de tempo para pesquisa nos cursos de medicina e residência, é importante abordar um projeto de pesquisa de uma forma sistemática e realista. A Figura 5.1 detalha uma abordagem realista para um projeto de pesquisa. A linha temporal certamente depende do tipo de pesquisa conduzida. É sempre importante ter metas realistas ao completar um projeto de pesquisa, pois numerosos fatores, como a aprovação do Comitê de Ética em Pesquisa (CEP) e a análise estatística, requerem considerações no momento oportuno. O tipo de estudo que melhor pode responder a uma pergunta científica em particular deve ser determinado não só por uma base puramente científica, mas também tendo em vista os recursos financeiros disponíveis e a equipe e a viabilidade prática (organização, pré-requisitos médicos, número de pacientes, etc.).[1] Uma forma rápida e simples de organizar suas ideias e a sua pergunta de pesquisa é lembrar os "4 Ds": _D_efinir, _D_elinear, (coleta de) _D_ados e _D_edução (Fig. 5.1). A abordagem geral de uma pergunta de pesquisa deve começar com uma antecedência mínima de 2 a 3 meses em relação à data pretendida para o início do projeto (Fig. 5.2).[2] Para organizar seu projeto de maneira eficiente e efetiva, é preciso considerar os seguintes aspectos:

1. **Identificação de um orientador:** a identificação de um orientador é a primeira etapa na iniciação de um projeto de pesquisa. Um orientador supervisiona o projeto e garante que a pergunta seja focada e que todos os pré-requisitos de documentação sejam atendidos. O orientador também

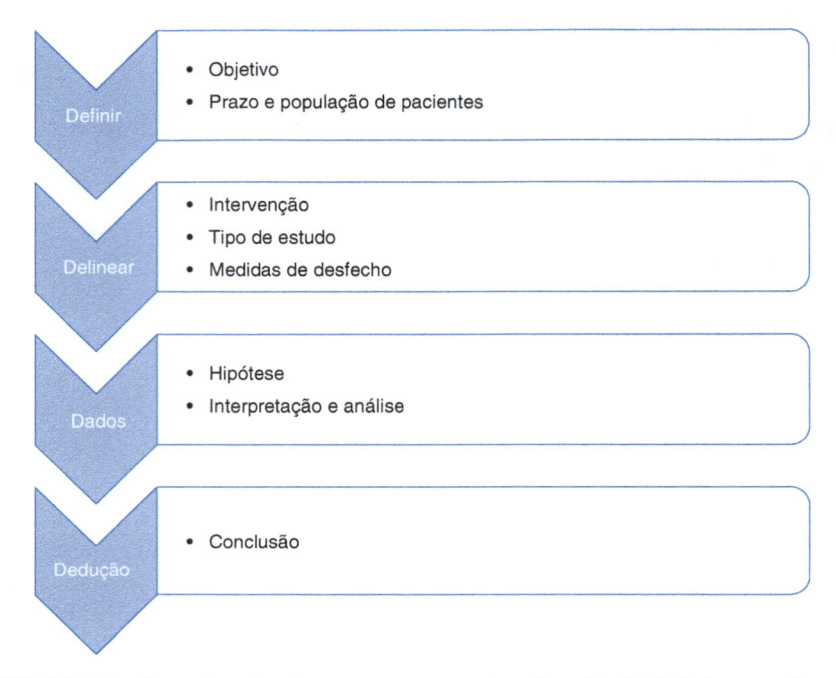

- Definir
  - Objetivo
  - Prazo e população de pacientes
- Delinear
  - Intervenção
  - Tipo de estudo
  - Medidas de desfecho
- Dados
  - Hipótese
  - Interpretação e análise
- Dedução
  - Conclusão

FIGURA 5.1 Organização de uma pergunta científica. Os "4 Ds" da organização da pergunta da pesquisa são: _d_efinir, _d_elinear, _d_ados e _d_edução.

orienta você com relação à viabilidade do projeto, considerando o prazo concedido.

2. **Requerimento da pesquisa de conclusão de um módulo ou certificação do Collaborative Institutional Training Initiative (CITI):** dependendo do tipo de pesquisa que você conduz (com seres humanos *vs*. animais), alguns programas americanos exigem que você conclua certos módulos científicos que podem ter duração de 1 a 2 dias. Um exemplo é a CITI, que oferece módulos de treinamento em ética na pesquisa. Assegure-se de checar, junto a sua instituição, acerca dos módulos requeridos.

3. **Pergunta da pesquisa:** deve ser centrada no paradigma PICO(T).

4. **Revisão da literatura:** dê tempo a si mesmo para conduzir uma extensiva busca na literatura sobre o tópico da sua pesquisa, a fim de identificar o conhecimento clínico existente e não existente sobre este assunto. Isto o ajudará a construir um estudo mais eficiente.

5. **Proposta:** construa uma proposta para a pergunta da sua pesquisa, de acordo com a Fig. 5.3.

6. **CEP:** assegure-se de contatar o CEP da sua instituição, para se informar sobre os prazos para submissão. Frequentemente, exige-se uma aplicação

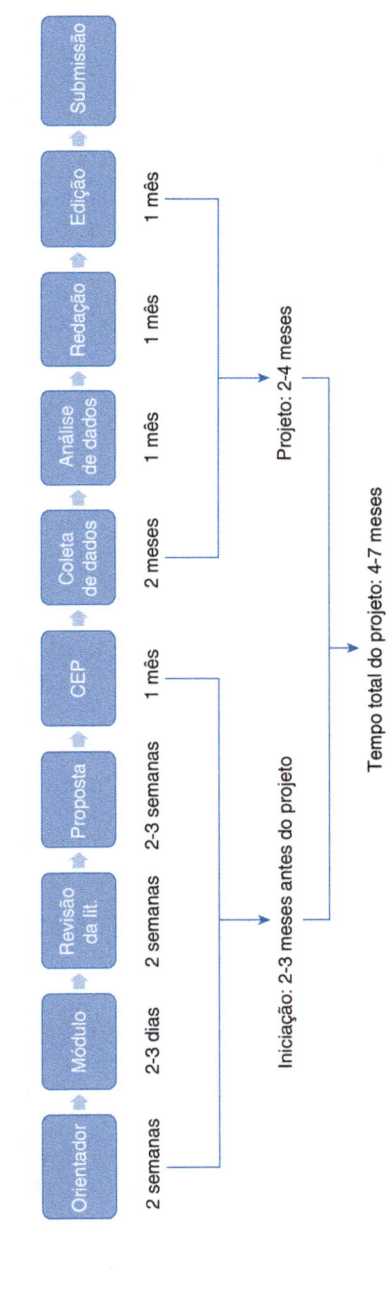

FIGURA 5.2 Cronograma do projeto de pesquisa.

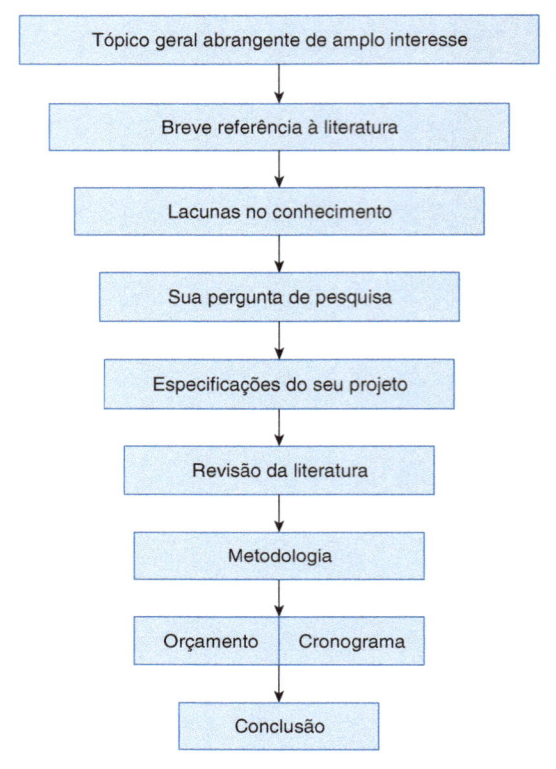

FIGURA 5.3   Algoritmo de proposta do projeto. Esta é uma forma rápida e simples de iniciar uma proposta de pesquisa.

que é lenta e demorada. Alguns CEPs atendem algumas vezes por mês e têm prazos para submissão. Também é importante notar que, mesmo depois da revisão do CEP a respeito da sua proposta, você talvez tenha que editar alguns tópicos e ressubmetê-la. Portanto, faça a submissão com, pelo menos, dois meses de antecedência em relação ao início do seu projeto.

7. **Coleta de dados:** o prazo para esta parte do projeto depende bastante do tipo de projeto que você está propondo. Se for uma revisão de gráficos retrospectiva, inquérito transversal ou coorte, a coleta de dados geralmente leva, no mínimo, 1 a 2 meses.

8. **Análise de dados:** uma vez coletados os dados, é necessário organizá-los em tabelas ou planilhas do Excel, com análise estatística. Caso haja um estatístico disponível, este deve ser contatado com antecedência para que você saiba como funciona o quadro de horários dele.

9. **Redação:** depois que todos os dados são coletados e analisados, a redação costuma ser a etapa mais simples. Entretanto, também poderá ser necessário construir tabelas, figuras e gráficos, e essa tarefa pode ser demorada.

10. **Edição:** uma vez concluído o esboço original, este deve ser revisado com seu orientador e quaisquer membros relevantes da equipe.

11. **Submissão:** esta etapa é a mais fácil! Contudo, é importante rever os requerimentos do periódico para submissão, pois existe uma tendência a haver exigências para texto e imagens que precisam ser atendidas (Fig. 5.4).

Uma boa forma de visualizar o planejamento do seu projeto é o gráfico em formato de pizza (Fig. 5.5), que representa o projeto do delineamento da pesquisa. A maior parte do seu tempo (60%) deverá ser gasta com o planejamento do estudo. Isto inclui definir perguntas, variáveis, métodos, delineamentos, plano de amostragem e métodos de coleta de dados. A isto, segue-se a execução do estudo, que consiste em sua condução e na coleta dos dados

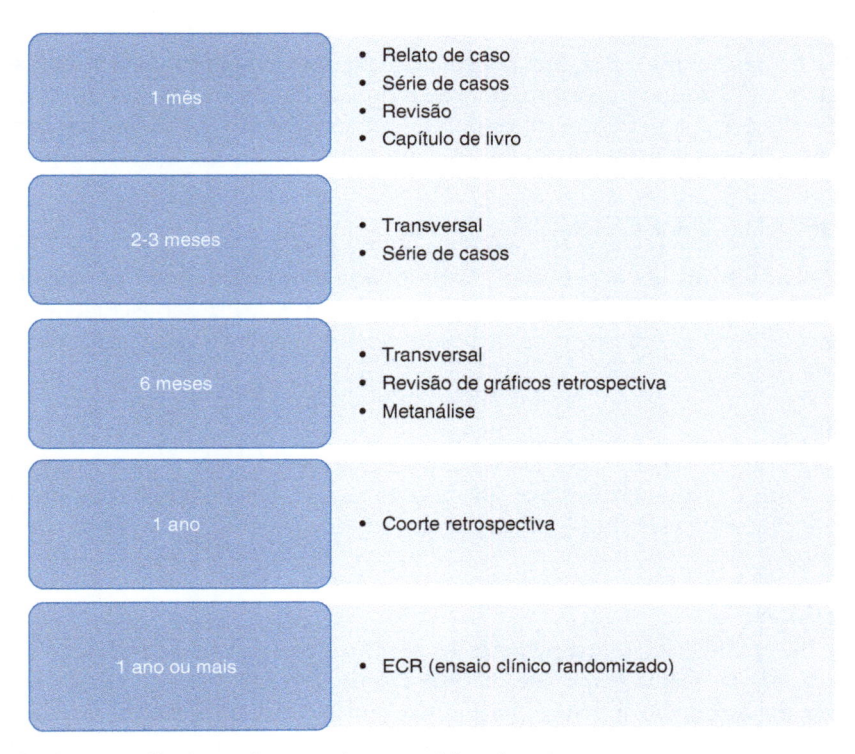

FIGURA 5.4   Projetos de pesquisa, considerado o tempo.

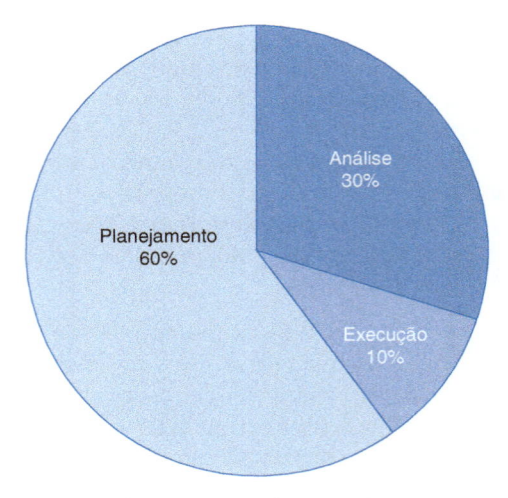

FIGURA 5.5 Processo de delineamento da pesquisa.

(10% do seu tempo). Por fim, o projeto deve ser concluído com a análise dos dados (30% do seu tempo), por meio do uso de ferramentas estatísticas, avaliando se a sua pergunta foi respondida, e fornecendo os resultados, conclusões e recomendações para pesquisas futuras.[3,4]

PROPOSTA DA PESQUISA

Uma vez identificada a pergunta da pesquisa, a próxima etapa na organização do seu trabalho é fazer a proposta de pesquisa. Esta consiste em um artigo que detalha sua pergunta de pesquisa e o modo como você gostaria de abordá-la.[5]

Resumo

O tamanho do resumo, em geral, não deve exceder uma página com espaçamento duplo entre linhas (200-300 palavras). Deve incluir uma breve introdução, as metas ou objetivo do estudo, os métodos, os resultados e a conclusão.

Introdução

Uma breve introdução ao projeto de pesquisa contém uma descrição resumida do problema, hipótese ou questão abordada. Deve incluir os objetivos do estudo, o motivo que faz do seu projeto importante em uma determinada área, e a contribuição do seu projeto para essa área. Assim, é importante apresentar uma revisão detalhada e dirigida da literatura sobre o tópico, enfocando o que hoje se sabe sobre o assunto e quais evidências estão faltando.

Métodos

A seção de métodos deve incluir informação sobre a população do estudo, informando o tamanho da amostra que você deseja incluir e os critérios de inclusão e exclusão adotados. Os detalhes sobre o procedimento do estudo devem incluir o modo como você deseja obter a informação, incluindo os métodos e instrumental para coleta de dados, bem como a variável que você pretende medir. Os métodos de análise de dados devem especificar o modo como você deseja analisar os dados em termos de medidas estatísticas, bem como os mecanismos adotados para garantir a qualidade do estudo, incluindo considerações sobre viéses, segurança e ética, e sobre como controlar os fatores causadores de confusão.

Orçamento

Uma proposta de pesquisa deve incluir uma estimativa das despesas do estudo, incluindo as finanças associadas à coleta e à análise dos dados.

Apêndices

O apêndice da proposta de pesquisa deve incluir não só as referências, como também cópias de questionários, formulários de consentimento e outros documentos importantes que você prevê usar em seu estudo (Fig. 5.3).

APLICAÇÃO DE UMA PERGUNTA DE PESQUISA

Suponhamos que você esteja interessado em explorar o conhecimento dos alunos de medicina sobre o consumo de bebidas contendo cafeína. A pergunta da sua pesquisa seria: o consumo regular de bebidas cafeinadas está associado a um melhor desempenho acadêmico entre estudantes de medicina? A Tabela 5.1 documenta diversos modos de implementar essa pergunta de pesquisa, com base no tempo disponível e no delineamento do estudo que você deseja usar. Identifique primeiro a sua pergunta de pesquisa com o PICO(T):

População: estudantes de medicina dos EUA (Med 1-4).
Intervenções: bebidas contendo cafeína (café *vs*. refrigerante). Definir o tipo: você está medindo cafés ou refrigerantes? Definir a quantidade: mais de quatro xícaras de café por semana ao longo do último ano *versus* mais de quatro latas de refrigerante por semana durante um ano.
Comparação: bebidas sem cafeína.
Desfecho: desempenho acadêmico (escores USMLE, escores do exame Shelf, escores de memória, de vigília, de concentração e de fadiga).

TABELA 5.1 Aplicação da pergunta de pesquisa: conhecimento de alunos de medicina e bebidas cafeinadas

Tipo de estudo	Descrição	Métodos	Positivos	Negativos
Caso-controle	Estudar uma consideração **rara**: a associação entre o consumo regular de cafeína e a aceitação em residências altamente seletivas	**Casos:** alunos do 4° ano de medicina que aceitaram fazer residência na "especialidade altamente seletiva X" **Controle:** alunos do 4° ano de medicina que se inscreveram, mas não ingressaram **Preditor:** autorrelatado	Estabelece associação (razão de chance), econômico, eficiente, gera hipóteses	Não pode determinar a incidência, nem a prevalência, viéses da seleção, viéses de memória
Coorte	Associação dos escores USMLE* em alunos de medicina que consomem bebidas cafeinadas	**População:** todos os alunos de medicina **Método:** submeter ao levantamento sobre o consumo de cafeína. Atualizações anuais durante 4 anos, para registrar alterações no consumo **Desfechos:** escore da etapa 1 do USMLE, escore da etapa 2 do USMLE, pareamento na residência de primeira opção	Estabelece a incidência (risco relativo)	Perdas no seguimento, demorado, caro
Transversal	Prevalência do consumo de cafeína entre os estudantes de medicina com escores USMLE altos	Questionário aplicado aos alunos inscritos para o USMLE 1, e perguntar sobre o consumo de cafeína	Prevalência do estudo, rápido e econômico, sem esperas, sem perdas no seguimento, pode estudar associações	Não pode determinar a causalidade, não pode estudar desfechos raros
Ensaio clínico randomizado (ECR)	Um ECR sobre o consumo diário de cafeína entre estudantes de medicina	Randomização para o consumo diário de Red Bull *vs.* consumo diário de placebo **Resultados:** escore da etapa 1 do USMLE, escore da etapa 2 do USMLE, pareamento na residência de primeira opção	Determina a causalidade, risco relativo, análise da intensão de tratar	Perdas no seguimento, caro, demorado

* N. de R.T.: O USMLE (United States Medical Licensing Examination) é um exame que todo médico nos Estados Unidos deve fazer antes de começar a praticar a medicina.

Referências

1. Röhrig B, du Prel JB, Wachtlin D, Blettner M. Types of study in medical research. Part 3 of a series on evaluation of scientifi c publications. *Dtsch Arztebl Int.* 2009; 106(15):262-268.
2. Bickman L, Rog DJ. Applied Research Design, A Practical Approach. Sage; 1997.
3. Hartung DM, Touchette D. Overview of clinical research design. *Am J Health--Syst Pharm.* 2009;66:398-408.
4. Machin D, Campbell MJ: *Design of Studies for Medical Research.* Chichester, UK: Wiley; 2005;1-286.
5. Röhrig B, du Prel JB, Blettner M. Study design in medical research. Part 2 of a series on the evaluation of scientific publications. *Dtsch Arztebl Int.* 2009;106(11):184-189.

6

COMO ORGANIZAR A PESQUISA

COLETA DE DADOS

A primeira etapa da organização e coleta dos dados é decidir o que exatamente você quer coletar. A maioria dos projetos de pesquisa tem um objetivo final primário e outro secundário, que formulam a base para a coleta de dados. Entretanto, é importante coletar outros dados auxiliares que possam desencadear pontos relevantes para a sua pesquisa. Um dos conjuntos de dados mais simples e importante a ser coletado é o conjunto de dados demográficos. Estes dados não só proporcionam um modo de distinguir se há diferenças entre os grupos de faixa etária, raça e sexo como também fornecem uma base valiosa para descrever a população selecionada. Isto é fundamental, pois é essencial mostrar que as amostras com que você iniciou o trabalho são similares quanto aos potenciais aspectos geradores de confusão, uma vez que isto diminui o risco de viéses. De modo semelhante, é importante coletar dados relacionados a outros aspectos geradores de confusão que você considere que possam afetar o resultado do seu estudo. Alguns exemplos são os pacientes que já estão tomando certos medicamentos, a presença de comorbidades, a condição de fumante, e assim por diante. Depois que você decidir quais parâmetros deseja coletar, a etapa seguinte é organizar estes dados de uma forma que seja viável para análise.

ARMAZENAMENTO E PROTEÇÃO DOS DADOS

Na coleta de informações sobre pacientes, é importante guardar esses dados em segurança. Isto é importante não só para evitar viéses, como também para proteger as informações sobre os pacientes. Para essa finalidade, podemos substituir a identificação dos dados por códigos atribuídos a cada indivíduo. Além disso, é essencial que essas informações sejam armazenadas em um computador criptografado e protegido por senha.

COLETA DE DADOS

Seja a sua pesquisa descritiva ou experimental, a forma mais simples de coletar e de organizar dados é usar o Excel. Este programa é uma ferramenta
eficiente para realizar cálculos, estatísticas descritivas simples com criação de
gráficos, quadros e diagramas, e para criar listas organizadoras.[1]

1. Esquema de códigos: ao incluir e analisar dados, é mais fácil trabalhar
   com números. Para tanto, um número é atribuído a cada opção de resposta possível. Exemplificando: sexo masculino = 1; sexo feminino = 2. É
   importante examinar o sistema de códigos com o pesquisador principal e
   um estatístico, a fim de estabelecer o melhor sistema de codificação para
   os seus dados para facilitar a análise.
2. Como os dados faltantes são representados: nunca use zero para indicar um
   dado faltante. O número zero é especialmente propenso a ser interpretado
   de modo errôneo como um valor real, em vez de como um dado faltante.
3. Use uma coluna para cada parâmetro.
4. Análise de dados: a maior parte da análise dos dados deve ser discutida
   com um estatístico. Dependendo do tipo de informação que você deseja
   extrair dos dados, o estatístico estará capacitado a recomendar a você
   a melhor ferramenta estatística a ser usada. Você também pode realizar
   suas próprias análises preliminares com auxílio do Excel. Neste programa, você pode calcular médias e medianas, e realizar testes t simples que
   podem ser úteis para descrever dados demográficos. Além disso, para os
   usuários mais avançados do Excel, as tabelas centrais podem ser usadas
   como uma forma alternativa de criar distribuições de frequência, embora
   não seja possível usá-las para criar tabulações cruzadas de dados. Exemplificando, em um estudo sobre o efeito de um fármaco A e placebo, na

TABELA 6.1 Fórmulas estatísticas simples no Excel

Calcular	Usar a função/ fórmula	Exemplo
Número de questionários completos	LINHAS	=LINHAS(B2:B7)
Média dos escores daqueles que responderam	MÉDIA	=MÉDIA(B2:B7)
Menor escore dado como resposta	MIN	=MIN(B2:B7)
Maior escore dado como resposta	MAX	=MAX(B2:B7)
Número de respondentes que deram uma resposta específica	CONT.SES	=CONT.SES(B2:B7)
Escore mais frequente	MED	=MED(B2:B7)
Variabilidade dos escores	DESVPADPA	=DESVPADPA(B2:B7)

TABELA 6.2 Teste estatístico usado no Excel

Teste	Propósito
Teste t para duas amostras	Checar se dois grupos de tratamento diferem quanto aos valores de x ou y.
Teste t pareado	Testar se a diferença existente entre duas medidas obtidas de um mesmo indivíduo são significativamente diferentes de 0.
χ^2	Testar a relação entre tratamento e desfecho.
Tabelas centrais	Obter frequências simples e tabulações cruzadas.
Análise de variância (ANOVA)	Testar as médias de dois grupos e determinar se a diferença entre ambos é estatisticamente significativa.
Regressão linear	Determinar as relações lineares existentes entre duas ou mais variáveis. A análise de regressão atua ajustando uma reta que melhor descreve a relação.

rinite alérgica, você pode querer saber quantos indivíduos estavam tomando o fármaco A e apresentaram diminuição do número de espirros. Isto permite extrair dados vinculados (Tabelas 6.1 e 6.2).

Referência

1. Elliott AC, Hynan LS, Reisch JS, Smith JP. Preparing data for analysis using Microsoft Excel. *J Investig Med*. 2006;54(6):334-341.

7

COMO APRESENTAR SUA PESQUISA

Resumos, pôsteres e apresentações

RESUMOS

Os resumos são, geralmente, resumos de pesquisa condensados incorporados em apenas 300 a 400 palavras. A habilidade de redigir um resumo aumentará a probabilidade de seleção junto a um programa científico.[1]

Destaques de um resumo[2]
1. **Título:** sintetiza o resumo e inclui os nomes dos autores e afiliações.
2. **Introdução:** sintetiza o problema clínico (2 a 3 sentenças).
3. **Métodos:** descreve o delineamento do estudo, o local, a seleção de amostra e o controle, as medidas do desfecho e a análise estatística.
4. **Resultados:** começa com uma descrição das amostras do estudo, controles e exclusões e, então, lista as frequências dos desfechos mais comuns. Descreve comparações de resultados entre e dentro dos grupos.
5. **Conclusões:** resume as conclusões e implicações do estudo.

PÔSTERES

1. **Planejamento do pôster:** conheça as regras: cada simpósio ou congresso adota um conjunto específico de requisitos referentes às dimensões do pôster, à organização e às especificações da apresentação. É importante rever o tamanho do quadro onde o pôster será exibido, a fim de determinar o tamanho do pôster.
2. **Confecção do pôster:** os pôsteres devem seguir o formato IMRD (introdução, métodos, resultados e discussão).

- **Introdução:** inclui as informações já conhecidas que resumem o conhecimento atual na área, as lacunas existentes neste conhecimento e o propósito do estudo ao abordar essas lacunas.
- **Métodos:** inclui o delineamento da pesquisa, critérios de inclusão e exclusão de pacientes, variáveis do desfecho e métodos de análise estatística.
- **Resultados:** inclui as frequências das variáveis mais importantes do desfecho, gráficos e tabelas.
- **Discussão:** inclui a conclusão do estudo, suas implicações e limitações.

Os pôsteres de vinhetas clínicas seguem o formato ICD (introdução, descrição de caso, discussão):

- **Introdução:** descreve o contexto do caso e se já foi relatado na literatura.
- **Descrição do caso:** descreve, em sequência, a história do paciente, achados do exame físico, exames complementares, opções de tratamento e progresso e resultados alcançados pelo paciente.
- **Discussão:** revisa o motivo que levou à tomada de certas decisões, extrai uma lição a partir de cada caso ou descreve uma nova manifestação de um determinado fenômeno patológico em particular.

Dicas para o conteúdo do pôster:

1. **Revisão de prova:** certifique-se de que não há erros de gramática nem de sintaxe, e que todos os nomes estejam grafados corretamente. Não esqueça de incluir o nome e a localização da sua instituição, bem como da fonte de apoio financeiro (caso exista uma).
2. **Incluir:** títulos, autores, afiliações institucionais e fontes de financiamento.
3. **Evitar confusão:** cada seção deve ser concisa e clara em termos de cor, linhas, quadros e setas usadas para enfatizar pontos importantes.
4. **Para pôsteres de pesquisa:** introdução, métodos, resultados e discussão (IMRD).
5. **Para vinhetas clínicas:** introdução, descrição de caso e discussão (ICD).
6. **Sequência lógica:** do fluxo da informação (da esquerda para a direita e de cima para baixo).

Dicas para a aparência do pôster:

1. O pôster deve observar as restrições de tamanho indicadas pelo programa científico.
2. O resumo é incluído no pôster (quando requerido).
3. O título principal deve ser legível a uma distância de 0,9 a 1,5 m.
4. O texto e as figuras devem ser legíveis a uma distância de 0,6 a 1,2 m.
5. Gráficos e figuras devem ser legíveis a uma distância de 0,6 a 0,9 m.

6. A fonte usada deve ser a mesma em todo o pôster (não exceder três tamanhos diferentes de fonte: título, subtítulos e texto).
7. O conteúdo geral deve poder ser entendido em no máximo 10 minutos.

Critérios para julgamento de pôsteres

1. **Originalidade:** o quão original é o conceito apresentado neste pôster? Ou quão original é a nova abordagem de problema antigo?
2. **Significância:** o quão significativas são as conclusões contidas no pôster, em termos de ampliar o conhecimento sobre o processo da doença ou melhorar o diagnóstico/tratamento de uma condição?
3. **Apresentação:** o quão lógicas são as ideias apresentadas neste pôster? O modo de apresentação é interessante?
4. **Métodos:** quando aplicável, qual é o grau de conveniência do delineamento da pesquisa em relação aos objetivos propostos? As técnicas estatísticas aplicadas são apropriadas?
5. **Impacto visual:** qual é o grau de efetividade visual deste pôster? Qual é a importância de cada figura e gráfico, no sentido de possibilitar um melhor entendimento do assunto por parte dos espectadores?
6. **Entrevista:** qual é o grau de conhecimento e familiaridade do autor-apresentador, em relação à pesquisa exposta no pôster?

Tutorial de pôster

- Saiba os requerimentos de tamanho do seu pôster.
- Saiba o tamanho do quadro onde seu pôster será pendurado.
- Dica útil: crie um pôster em tamanho A4 contendo suas informações de contato, para que você possa distribuir aos interessados da audiência (Tabela 7.1).

Lembre:

1. **Tamanhos de fonte:**[3,4]
   Título: 80 a 100 pt (legível a partir de uma distância de 7,6 m); em média, 85 pt
   Autores: 56 pt
   Subtítulos: 35 a 70 pt; em média, 36 pt
   Texto: 25 a 35 pt (legível a partir de uma distância de 1,2 a 1,8 m); em média, 25 pt
   Legendas: 18 pt
   Para ser legível a partir de 1,8 m, use 30 pt
   Para ser legível a partir de 3 m, use 48 pt
   Para ser legível a partir de 3,7 m, use 60 pt
   Para ser legível a partir de 4,3 m, use 72 pt

2. **Fonte:** Times New Roman ou Arial.

TABELA 7.1   Traduzindo uma apresentação de Power Point em um pôster[5]

Configuração da página	*Design*>Configurar página>Personalizar>Tamanho do pôster O Power Point não permite usar um tamanho de página personalizado superior a 142 cm. Para trabalhar diante dessa limitação, você terá que ajustar seu arquivo a uma escala proporcional menor.
Tamanhos de fonte	1. Título: 84 pt (96 pt é melhor) 2. Autores: 42 pt 3. Subtítulos: 30 pt (48 pt é melhor) 4. Texto: 28 pt (32 pt é melhor) 5. Referências e agradecimentos: 18 a 20 pt 6. Fonte: Times New Roman ou Arial
Imagens e gráficos	1. Para impressão, suas imagens devem ser de cerca de 300 dpi. 2. A inserção de uma figura ou gráfico como arquivo, ao contrário do formato TIF, proporciona o melhor formato para impressão de imagens de alta qualidade. É sempre possível criar uma imagem no formato JPEG a partir das imagens em TIF (o formato JPEG é a melhor opção para fotos coloridas na internet). 3. Cópia de gráfico: Página inicial>Colar>Colar especial>Metarquivo avançado. 4. Os itens colados como Objeto Gráfico do Microsoft Office serão inseridos como objeto gráfico que pode ser editado no Power Point. 5. Os itens colados como imagem não podem ser editados. Os itens colados como metarquivo avançado não podem ser editados em suas aplicações de origem.
Objetos móveis	Mova os objetos *exatamente* para onde desejar. Se quiser colocar um objeto como uma seta, imagem ou caixa de texto, com bastante precisão, mantenha a tecla Alt pressionada enquanto move o objeto com o *mouse*. Isto lhe dará uma maior liberdade de amplitude de movimento.

3. Tamanhos proporcionais: (Power Point *vs.* pôster final)
   Power Point: 1,2 x 0,6 m ou 2,5 x 5,0 cm
   Portanto, é possível imprimir como 0,45 x 0,9 m ou 0,9 x 1,8 m
   Problema: imprimir em uma proporção diferente daquela ajustada no Power Point.
      Exemplo: dimensões desejadas do pôster = 0,9 x 1,4 m *vs.* configuração da página no Power Point = 1,2 x 0,6 m
      → Redefina o tamanho do arquivo do Power Point

4. Qual será a aparência do meu pôster após a impressão? Exemplificando: considere uma configuração de página do Power Point de tamanho 0,6 x 0,8 m e um tamanho de impressão desejado de 1,0 x 1,4 m.

   ■ Divida a dimensão vertical do tamanho impresso pela dimensão vertical do tamanho da configuração de página do Power Point: **1,0/0,6** = 1,7

- Multiplique o valor encontrado por 100, para encontrar o percentual de *zoom*: **1,7 x 100 = 170%**

Agora, insira o percentual calculado na caixa de percentual de *zoom*.

- Examine as diversas imagens, gráficos, títulos e caixas de texto do pôster observando-o a alguns centímetros de distância do monitor, com este percentual de *zoom* aplicado. E veja se a qualidade e o tamanho estão adequados para o seu pôster final impresso.

5. Para modificar o tamanho da página com conteúdo previamente incluído:
Selecione tudo no *slide* pressionando Ctrl+T.
Corte tudo do *slide* pressionando Crtl+X.
Vá para o menu *Design*, selecione Configurar Página e modifique o tamanho.
Cole tudo de volta no *slide* pressionando Crtl+V.
Neste momento, é mais provável que você ganhe bastante espaço extra no *slide* ou uma boa parte do conteúdo fique fora dos limites do *slide*.

Folheto do pôster

Imprima uma versão em miniatura do pôster, contendo suas informações de contato na parte de trás. Isto fornecerá um detalhamento um pouco maior do seu trabalho e também cumprirá a meta importante de fazer sua audiência levar seu trabalho com ela tendo seu contato em mãos.

APRESENTAÇÕES DO POWER POINT

A. Logística
- Conflitos de interesse: inclua sempre um *slide* inicial onde você relata que não há nenhum conflito de interesse que possa afetar a validade e confiabilidade da sua apresentação.
- Tempo: um dos maiores obstáculos é a restrita limitação de tempo. Desta forma, se forem disponibilizados apenas 15 minutos para a apresentação, planeje e pratique sua apresentação como se tivesse apenas 10 a 12 minutos. Isto lhe dará tempo, caso você fique nervoso ou esqueça algo, e para as perguntas e respostas da audiência.
- Agradecimentos: ao final da apresentação, agradeça às fontes de apoio e à assistência científica, como forma de cortesia para com todos aqueles que ajudaram você.

B. Habilidades de exposição
- Primeiramente, certifique-se de que o *slide* de título tenha tempo o suficiente para ser lido pelos presentes: deve permitir que eles leiam o título do trabalho e o seu nome.

- Certifique-se de que a transição de sentenças entre cada *slide* seja eficiente.
- Se você planeja usar um *pointer* a laser, pratique antes e use-o o mínimo possível, pois isto causa bastante distração.
- Conheça bem seu material!
  - Memorize o máximo possível da apresentação.
  - Vista-se de modo profissional.
  - Aborde a plateia: olhe para os ouvintes, em vez de se fixar apenas na tela. Para você, é bastante tentador ler os *slides*, mas isso é horrível para quem assiste. Leia suas anotações ou alguma observação no monitor do computador, se puder fazer isso da forma correta. O melhor método é memorizar algumas observações que você desejar incluir verbalmente, em vez de incluí-las na apresentação.
- Responda as perguntas: se surgir uma pergunta inesperada e você não souber como respondê-la, poderá dizer "Esta pergunta é muito interessante, no entanto não foi avaliada ou é uma limitação do nosso estudo".

C. *Design*

- Compatibilidade de computadores: se você usa um Mac, certifique-se de que o tema escolhido usa fontes compatíveis com o Windows.
- Cores
  - Um fundo branco simples é clássico. Um fundo preto simples funciona bem em recintos escuros e ajuda a enfatizar seus dados, pois aparece sem bordas. A cor azul royal também é usada de forma bastante eficiente com títulos em amarelo e branco.
  - Garanta que as cores não causem muita distração nem tornem o texto ilegível.
- Diagramas e imagens
  - Pode ser difícil se concentrar na apresentação quando os *slides* contêm apenas texto escrito. Use fluxogramas ou mapas conceituais, sempre que possível.
  - Cada imagem, diagrama e gráfico devem ter uma legenda ou anotação.
  - Imagens de outras fontes devem vir acompanhadas das devidas citações.
- Gráficos e quadros
  - Todos os gráficos devem ter a mesma aparência, usando as mesmas cores e *layout*.
  - Os títulos e legendas devem ser marcados de modo consistente.
  - Inclua barras de erro, sendo que as comparações devem mostrar valores significativos.
  - Cada grupo experimental deve ser representado por uma cor ou formato consistente em todos os gráficos.

- **Texto**
  - Fonte: escolha uma fonte que seja fácil de ler, como Arial, Times New Roman ou Courier.
  - Use o mesmo tipo de letra na apresentação inteira.
  - Se você for usuário de um Mac, evite as fontes não compatíveis entre plataformas diferentes, como a Helvética.
  - Espaçamento: use o espaçamento de 1,5, que facilita o seguimento das linhas.
  - Tamanho: use uma fonte cuja largura possa ser acomodada no *slide* (p. ex., linhas de título 44, texto principal 32 e textos menores 24).

D. Conteúdo

- Não escreva frases inteiras nos *slides*. O texto escrito deve ser legível em uma olhadela.
- Os dados contidos em cada *slide* devem ser mínimos.
- Não inclua em nenhum *slide* nada que lhe cause desconforto.
- O *slide* de conclusão deve poder ser lido por quem estiver no fundo do recinto.

DIRETRIZES PARA REDAÇÃO DE UM ARTIGO CIENTÍFICO[6]

O sucesso na redação de um bom artigo científico está em garantir que todos os elementos essenciais estejam nele contidos. Isto frequentemente é uma tarefa difícil, que requer bastante tempo e numerosas revisões de prova. Uma regra eficiente é escrever como se o seu artigo fosse ser lido por alguém que conhece o assunto de forma geral, mas desconhece o que você fez. Antes de escrever um artigo, leia alguns artigos científicos que tenham sido redigidos no mesmo formato do artigo que você planeja usar e que também aborde o assunto sobre o qual você quer escrever. É fundamental conhecer a literatura existente sobre o tópico que você abordar em seu artigo (Tabela 7.2).

1. **Resumo:** uma descrição sucinta (um parágrafo) do artigo inteiro. O resumo tem que descrever brevemente a pergunta proposta no artigo, os métodos usados para responder essa pergunta, os resultados obtidos e as conclusões. Um resumo eficiente é aquele que, ao ser lido, permite determinar os principais pontos do artigo. Apesar da localização no início do artigo, é mais fácil escrever o resumo após a finalização do artigo.

2. **Introdução**
   - Descreve a pergunta testada pelos experimentos.
   - Explica porque a pergunta é interessante ou importante.
   - Descreve a abordagem usada.
   - Menciona brevemente a conclusão do artigo.

TABELA 7.2 Seções de um artigo científico

Processo experimental	Seção do artigo
Em síntese o que foi feito?	Resumo
Qual é o problema?	Introdução
Como resolvi o problema?	Material e métodos
Qual foi a minha descoberta?	Resultados
O que ela significa?	Discussão
Quem me ajudou?	Agradecimentos (opcional)
Faço referência ao trabalho de quais grupos?	Literatura citada
Informações extras	Apêndices (opcional)

3. **Materiais e métodos:** esta seção deve descrever sucintamente as técnicas empregadas. Os detalhes de um protocolo previamente publicado não precisam ser reproduzidos no texto, mas uma referência apropriada deve ser citada ou incluída em um apêndice suplementar.
   - **População:** descreve a população estudada, os critérios de inclusão e exclusão, e o modo como ocorreu a seleção.
   - **Delineamento:** é o tipo de estudo realizado (duplo-cego, randomizado, prospectivo).
   - **Coleta de dados:** descreve os desfechos primário e secundário, bem como o modo de coleta.
   - **Análise dos dados:** ferramentas e métodos de estatística empregados para analisar os dados e que serão responsáveis por esta tarefa.
   - **Confidencialidade e privacidade:** quando aplicável, diz respeito à informação sensível ao paciente. Você deve mencionar se os identificadores de paciente são codificados e confidenciais.
   - **Apoio financeiro:** é importante mencionar se o estudo foi financiado por uma empresa farmacêutica.

4. **Resultados:** comece cada parágrafo com uma frase de abertura que comunique aos leitores a pergunta testada pelos experimentos descritos no parágrafo. Ao fazer referência a uma tabela ou figura em particular, a palavra tabela ou figura devem ser escritas com inicial maiúscula (p. ex., Tabela 1, Figura 6). O texto da seção Resultados deve ser sucinto, mas também deve fornecer aos leitores um resumo dos resultados de cada tabela ou figura. Os resultados negativos continuam sendo resultados! Se você não obteve os resultados esperados, talvez a sua hipótese esteja incorreta ou tenha que ser reformulada, ou talvez você tenha descoberto algo inesperado que necessite investigação adicional.

5. **Discussão:** Em vez de simplesmente reafirmar os resultados, explique suas conclusões e interpretações da seção Resultados. Em quais aspectos seus resultados são comparáveis aos resultados esperados? Há outras previsões que podem ser extraídas dos resultados? Lembre de não introduzir novos resultados na parte da discussão. Os conceitos importantes a serem lembrados incluem:

- Os resultados fornecem respostas para as hipóteses testadas? Em caso afirmativo, como você interpreta seus achados?
- Seus achados estão de acordo com outros já demonstrados? Em caso negativo, seus achados sugerem uma explicação alternativa ou, talvez, uma falha de delineamento inesperada em seu experimento (ou em outros)?
- Considerando as suas conclusões, o que há de novo em nosso conhecimento sobre o problema que você investigou e destacou na Introdução?
- Caso seja justificável, qual seria a próxima etapa do seu estudo (p. ex., quais seriam suas próximas pesquisas)?

CONCLUSÃO: ALGUMAS DICAS ÚTEIS PARA A APRESENTAÇÃO DA PESQUISA

1. **Abreviações:** defina todas as abreviações na primeira vez em que forem usadas e, subsequentemente, use somente as abreviações.
2. **Tempos verbais – passado, presente e futuro:** os resultados descritos em seu artigo devem ser relatados no passado. Os resultados citados de artigos publicados devem ser relatados no presente.
3. **Terceira pessoa *vs.* primeira pessoa:** é aceitável usar a primeira pessoa na redação científica, desde que com parcimônia. Reserve o uso da primeira pessoa para enfatizar algo que lhe seja exclusivo, ou seja, que apenas você tenha feito (i.e., não use para relatar coisas que já tenham sido feitas por muitos grupos diferentes). A maior parte do texto deve ser escrita em terceira pessoa, a fim de evitar quaisquer semelhanças com um relato autobiográfico.
4. **Apêndices:** um apêndice contém informação complementar ao entendimento do artigo, mas pode trazer informações que forneçam esclarecimentos adicionais sobre um dado ponto, sem sobrecarregar o corpo da exposição. São exemplos de materiais incluídos em apêndices os dados brutos, imagens extras, figuras e tabelas.

Referências

1. Pierson DJ. How to write an abstract that will be accepted for presentation at a national meeting. *Respir Care*. 2004;49(10):1206-1212.

2. Patrick Alguire. Guide to Preparing for the Abstract Competition. Retrived online from American College of physicians. http://www.acponline.org/residents_fellows/competitions/abstract/prepare/. Accessed 8/2012.

3. Poster Tutorial. Retrieved online from: http://www.makesigns.com/tutorials/. Retrieved 8/2012.

4. Davis M. Poster presentations. In: *Scientific Papers and Presentations*. Revised ed. Burlington, MA: Academic Press; 2005:181-204.

5. Gosling PJ. *Scientist's Guide to Poster Presentations*. New York: Kluwer Academic/ Plenum Press; 1999.

6. Day R. *How to Write and Publish a Scientific Paper*. 5th ed. Orynx Press, Phoenix AZ; 1998.

8

DECIFRANDO DIFERENTES DOMÍNIOS DA PESQUISA

Para entender e realizar uma pesquisa, às vezes é mais fácil classificá-la em seus escopos subjacentes: estudos sobre diagnóstico, etiologia, tratamento e prognóstico. O presente capítulo explora o melhor tipo de evidência e os estudos empregados para explorar cada escopo; discute como formular uma pergunta PICO bem estruturada e baseada no escopo; esclarece como analisar um estudo e quais perguntas fazer com base neste escopo; e, finalmente, engloba a maioria das ferramentas estatísticas mais comumente utilizadas em cada escopo. O emprego desse método de classificação proporciona um conhecimento mais abrangente da pesquisa e permite entender melhor o modo correto de conduzir a pesquisa.

A MELHOR EVIDÊNCIA

Uma das etapas da prática da MBE envolve a análise da literatura clínica, com o objetivo de avaliar as evidências. Dependendo do tipo de estudo, diferentes delineamentos de pesquisa podem elevar ou diminuir o nível da evidência em cada estudo. Exemplificando, um ensaio clínico randomizado controlado e duplo-cego sobre a comparação de esteroides intranasais *versus* placebo no tratamento da rinite alérgica, teria um nível de evidência superior do que o nível de evidência de um estudo de caso-controle ou de um estudo prospectivo não controlado e não randomizado. Os dados extraídos de um ensaio clínico randomizado controlado e duplo-cego sustentam um poder maior do que os dados extraídos de estudos não randomizados e não controlados, sobretudo por causa dos elementos de validade, reprodutibilidade e aplicabilidade à população geral. A Tabela 8.1 descreve os melhores delineamentos de pesquisa com os níveis mais altos de evidência para cada escopo de estudo.

TABELA 8.1   A melhor evidência para cada domínio de pesquisa

Domínio	Evidência
Diagnóstico	Revisão sistemática de estudos de coorte prospectivos ou estudos transversais, com comparação cega ao teste diagnóstico padrão-ouro.
Etiologia, causa e dano	Estudos sobre etiologia e terapia: ECR ou revisões sistêmicas. Causalidade: estudos de caso-controle retrospectivos, coortes prospectivas.
Tratamento e prevenção	Ensaio clínico controlado randomizado duplo-cego ou revisão sistemática destes ensaios (metanálise).
Prognóstico	Revisão sistêmica prospectiva de coortes.

ECR = estudo controlado randomizado.

A PERGUNTA PICO

Assim como existem delineamentos de pesquisa mais robustos adaptados para cada escopo de pesquisa, é preciso ajustar a pergunta PICO ao tipo de delineamento científico. Ao lidar com estudos com enfoque em diagnóstico, as perguntas a serem feitas com relação à população em geral são: quais são as características do paciente e qual é a condição possivelmente presente? Isto contrasta com a pergunta sobre a população feita em um estudo com enfoque no tratamento: como eu descreveria um grupo de pacientes semelhante ao meu? Isto mostra como o sistema PICO de fazer perguntas é diferente e especial, dependendo do tipo de estudo. Se você estiver conduzindo um estudo sobre um exame diagnóstico específico, a sua pergunta pertinente à população deve se concentrar na existência ou não de características encontradas nos pacientes, que estabelecem a presença da doença. Isto é comparável a um estudo com foco no tratamento, em que a pergunta em torno da população deve se concentrar em garantir que ambos os grupos sejam o mais semelhante possível, para evitar viés (Tabela 8.2).

A AVALIAÇÃO CLÍNICA

Nos capítulos anteriores, foi discutida a abordagem para avaliar criticamente os artigos de periódicos. Sendo assim, esse assunto não será retomado aqui. Por outro lado, é preciso ter em mente algumas perguntas ao lidar com artigos específicos de certos escopos.

TABELA 8.2   Perguntas PICO para cada tipo de domínio de pesquisa

	Estudos			
PICO	**Diagnóstico**	**Etiologia, causa e dano**	**Terapia**	**Prognóstico**
População e paciente	Quais são as características dos pacientes? Qual é a condição possivelmente presente?	Como eu descreveria um grupo de pacientes similar ao meu?	Como eu descreveria um grupo de pacientes similar ao meu (p. ex., condição, idade, sexo)?	Como eu descreveria uma coorte de pacientes semelhante a minha?
Intervenção	Qual exame diagnóstico estou considerando?	Qual é a principal exposição que estou considerando?	Qual é a intervenção principal ou nova que estou considerando?	Qual é o principal fator prognóstico que estou considerando?
Comparação	Qual é o padrão-ouro do diagnóstico?	Qual é a principal alternativa para comparar à exposição?	Qual é a alternativa para comparar com a intervenção (p. ex., placebo, padrão de atendimento)?	Qual é o grupo de comparação (caso haja algum)?
Desfecho	Qual é a probabilidade de o teste predizer ou afastar esta condição?	Qual é a incidência ou prevalência da condição neste grupo afetado por esta exposição?	O que posso esperar realizar, medir, melhorar ou influenciar?	Qual é a expectativa para a progressão da doença?
Delineamento do estudo	Qual delineamento de estudo forneceria o melhor nível de evidência para esta pergunta?			

A. Perguntas que você deve responder em um estudo diagnóstico

Os resultados são válidos?

- Foi feita uma comparação cega independente com um padrão de referência?
- O padrão de referência usado é aceitável?
- Tanto o teste de referência quanto o teste índice são aplicáveis a todos os pacientes?
- A amostra incluiu um espectro adequado de pacientes aos quais o teste será aplicado?

- Os resultados do teste avaliado influenciam a decisão de realizar o padrão de referência (viés do *"workup"* ou "verificação")?
- Os métodos do teste foram descritos de forma clara o suficiente para permitir sua replicação?
    - Preparação do paciente?
    - Desempenho do teste?
    - Análise e interpretação dos resultados?

Quais são as razões de verossimilhança (RV) para os resultados do teste? Os resultados me ajudarão a atender meus pacientes?

- O teste será reproduzível e corretamente interpretado no contexto do meu serviço de saúde?
- Os resultados são aplicáveis aos meus pacientes?
    - Distribuição semelhante da gravidade da doença?
    - Distribuição semelhante de comorbidades?
    - Razões importantes pelos quais os resultados não deveriam ser aplicados?
- Os resultados do teste mudam o meu manejo?
    - Limiares de teste e tratamento?
    - Razões de verossimilhança altas ou baixas?
- O teste faria meus pacientes ficarem melhores?
    - A doença-alvo é perigosa, caso não seja diagnosticada?
    - O risco do teste é aceitável?
    - Existe tratamento efetivo?
- A informações fornecida pelo teste levaria a alguma mudança no manejo que seria benéfica ao paciente?

B. Perguntas que você deve fazer sobre uma estudo etiológico
Os resultados são válidos?

- Com exceção da exposição estudada, os grupos comparados foram semelhantes entre si?
    - ECR, coorte ou caso-controle?
    - Outros fatores prognósticos conhecidos semelhantes ou que foram ajustados?
- Os resultados e exposições foram medidos da mesma forma nos grupos comparados?
    - Viés de memória? Viés do entrevistador?
    - Oportunidade de exposição similar?
- O seguimento foi suficientemente longo e completo?
    - Razões para um seguimento incompleto?
    - Quais fatores de risco similares nos casos que foram perdidos e não foram perdidos no seguimento?

- A relação temporal está correta?
  - A exposição precedeu o desfecho?
- Existe um gradiente dose-resposta?
  - O risco de desfecho aumenta com a quantidade ou duração da exposição?

Quais são os resultados?

- Qual é a força da associação existente entre a exposição e o desfecho?
  - Risco relativo ou razão de chance?
- Qual é a precisão da estimativa de risco?
  - Quais os intervalos de confiança?

Os resultados me ajudarão a atender meus pacientes?

- Os resultados são aplicáveis aos meus pacientes?
  - Os pacientes são semelhantes quanto à demografia, à morbidade e a outros fatores prognósticos?
  - Os tratamentos e as exposições são semelhantes?
- Qual é a magnitude do risco?
  - O risco absoluto aumenta (e é recíproco)?
- Devo tentar cessar a exposição?
  - Força da evidência?
  - Magnitude do risco?
  - Efeitos adversos da redução da exposição?

C. Perguntas que você deve fazer em um estudo de tratamento

Os resultados são válidos?

- A alocação dos pacientes ao tratamento foi randomizada?
- Todos os pacientes incluídos no ensaio foram devidamente considerados e atribuídos na conclusão?
  - O seguimento foi completo?
  - Os pacientes foram analisados nos grupos para os quais foram randomizados?
  - Houve análise por intensão de tratar?
- Os pacientes, seus clínicos e a equipe do estudo eram "cegos" para a alocação do tratamento?
- Os grupos eram semelhantes no início do estudo?
  - Fatores prognósticos basais (demografia, comorbidade, gravidade da doença, outros fatores geradores de confusão) estão equilibrados?
  - Se eram diferentes, foram ajustados?
- À parte da intervenção experimental, os grupos foram tratados de mesma forma? E com relação aos seguintes aspectos:

- Cointervenção?
- Contaminação?
- Aderência?

Quais são os resultados?

- ■ Qual é a extensão do efeito do tratamento?
  - Redução absoluta do risco?
  - Redução relativa do risco?
- ■ O tamanho da amostra do estudo foi suficientemente amplo?
- ■ Qual é a precisão da estimativa do efeito do tratamento?
  - Intervalos de confiança?

Os resultados me ajudarão a tratar meus pacientes?

- ■ Os resultados podem ser aplicados aos meus pacientes?
  - Pacientes semelhantes quanto à demografia, à gravidade, à comorbidade e a outros fatores prognósticos?
  - Motivo relevante, o qual estabelece que os resultados não devam ser aplicados?
  - Todos os desfechos clinicamente relevantes foram considerados?
- ■ Os desfechos substitutos são válidos?
- ■ Os benefícios justificam os riscos e os custos?
  - Número necessário para tratar (NNT) para desfechos diferentes?

D. Perguntas que você deve fazer em um estudo prognóstico
Os resultados são válidos?

- ■ A amostra de pacientes era representativa e bem-definida em um ponto similar do curso da doença?
  - Critérios de inclusão e de exclusão?
  - Viés de seleção?
  - Estágio da doença?
- ■ O seguimento foi suficientemente longo e completo?
  - Motivos para um seguimento incompleto?
  - Fatores prognósticos similares para pacientes perdidos e não perdidos no seguimento?
- ■ Foram usados critérios de desfechos objetivos e não enviesados?
  - Os desfechos foram definidos no início do estudo?
  - Os pesquisadores eram "cegos" para os fatores prognósticos?
- ■ Houve ajustes para os fatores prognósticos relevantes?

Quais foram os resultados?

- Qual é a probabilidade dos desfechos, ao longo do tempo? Curvas de sobrevida (Kaplan-Meier)?
- Qual é a precisão das estimativas de probabilidade?
  - Intervalos de confiança?

Os resultados me ajudarão a atender meus pacientes?

- Os pacientes do estudo eram semelhantes aos meus próprios pacientes?
  - Os pacientes eram semelhantes quanto à demografia, à gravidade, à comorbidade e a outros fatores prognósticos?
- Motivo relevante pelo qual os resultados não deveriam ser aplicados?
- Os resultados conduzirão diretamente à seleção da terapia?
- Os resultados são úteis para tranquilizar os pacientes?

Observações sobre compreensão de um artigo sobre prognóstico

O prognóstico de uma doença se refere aos seus possíveis desfechos e à probabilidade de que cada um deles ocorra.

Um fator prognóstico é uma característica do paciente que pode predizer o eventual desfecho do paciente:

- Demográfico (p. ex., idade)
- Doença-específico (p. ex., estágio do tumor)
- De comorbidade (p. ex., outras condições presentes)

Os resultados prognósticos são o número de eventos que ocorrem ao longo do tempo, expresso em:

- Termos absolutos (p. ex., taxa de sobrevida de 5 anos)
- Termos relativos (p. ex., risco a partir do fator prognóstico)
- Curvas de sobrevida: eventos cumulativos ao longo do tempo

A ESTATÍSTICA

Seja o estudo focado em um tratamento ou em um diagnóstico, é útil saber que algumas ferramentas estatísticas descritas em detalhes nos capítulos anteriores são de fato domínio-específicas. Isto não só ajuda a entender as complexas interpretações das ferramentas estatísticas, como também auxilia na tradução para a prática dos dados delas oriundos. Saber quais ferramentas estatísticas são empregadas em cada domínio permite não só desenvolver uma melhor compreensão, como também conseguir criar um estudo bem estruturado (Tabela 8.3).

TABELA 8.3   Ferramentas estatísticas associadas a cada domínio de pesquisa

	Estudos			
	Diagnóstico	Etiologia, causalidade e dano	Tratamento	Prognóstico
Testes estatísticos empregados	Sensibilidade, especificidade, valores preditivos positivo e negativo, razão de verossimilhança	Razão de chance, risco relativo, risco atribuível	Taxa de evento controle, taxa de evento experimental, risco absoluto, número necessário para tratar, risco relativo, diminuição do risco relativo	Absoluto: taxa de sobrevida Relativo: risco a partir de um fator prognóstico Curva de sobrevida

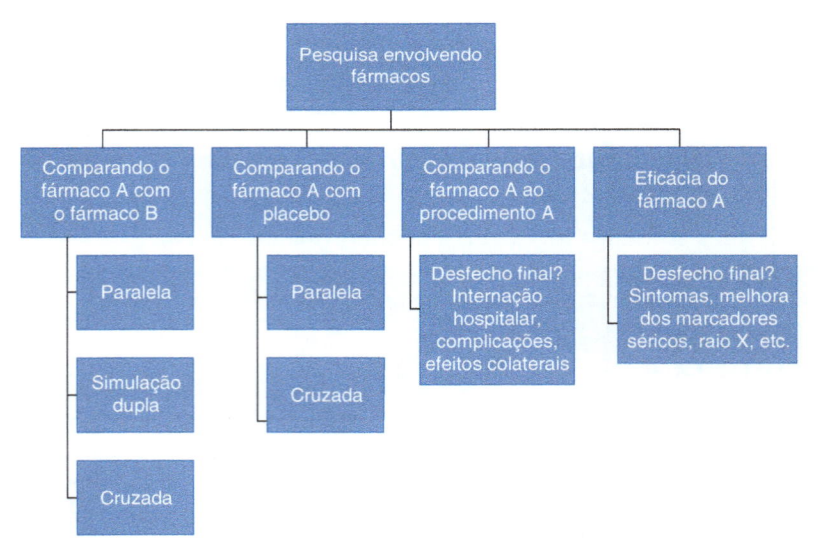

FIGURA 8.1   Pesquisa envolvendo fármacos. Este algoritmo descreve diferentes metodologias de pesquisa envolvendo pesquisa com fármacos terapêuticos.

ALGORITMOS DO ESTUDO CIENTÍFICO

1. **Pesquisa envolvendo fármacos:** depois de entender como decifrar um estudo específico, torna-se mais fácil planejar um. Depois de conhecer os diferentes tipos de delineamento metodológico, a forma como você faz a pergunta da sua pesquisa ajudará a compor seu estudo científico em numerosos delineamentos distintos. Um exemplo é fornecido na Figura 8.1, que ilustra o algoritmo criado em uma tentativa de delinear um estudo científico envolvendo tratamento, como o uso de certos fármacos.

2. **Algoritmo de delineamento de pesquisa experimental:** similar ao algoritmo apresentado na Figura 8.1, se a sua pergunta diz respeito a um estudo experimental, com base em seu cronograma, ferramentas, orçamento e perguntas de pesquisa, você pode, então, construir diferentes tipos de estudos, todos com suas próprias vantagens e desvantagens (Fig. 8.2).

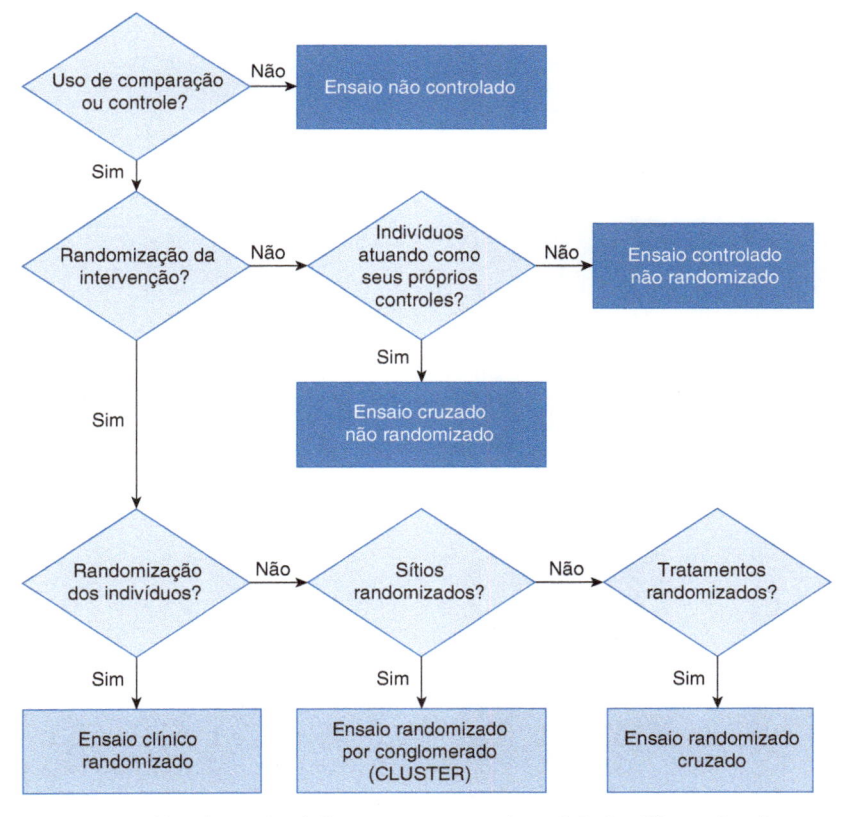

FIGURA 8.2 Algoritmo de delineamento experimental científico: algoritmo geral explorando o delineamento de pesquisa experimental.

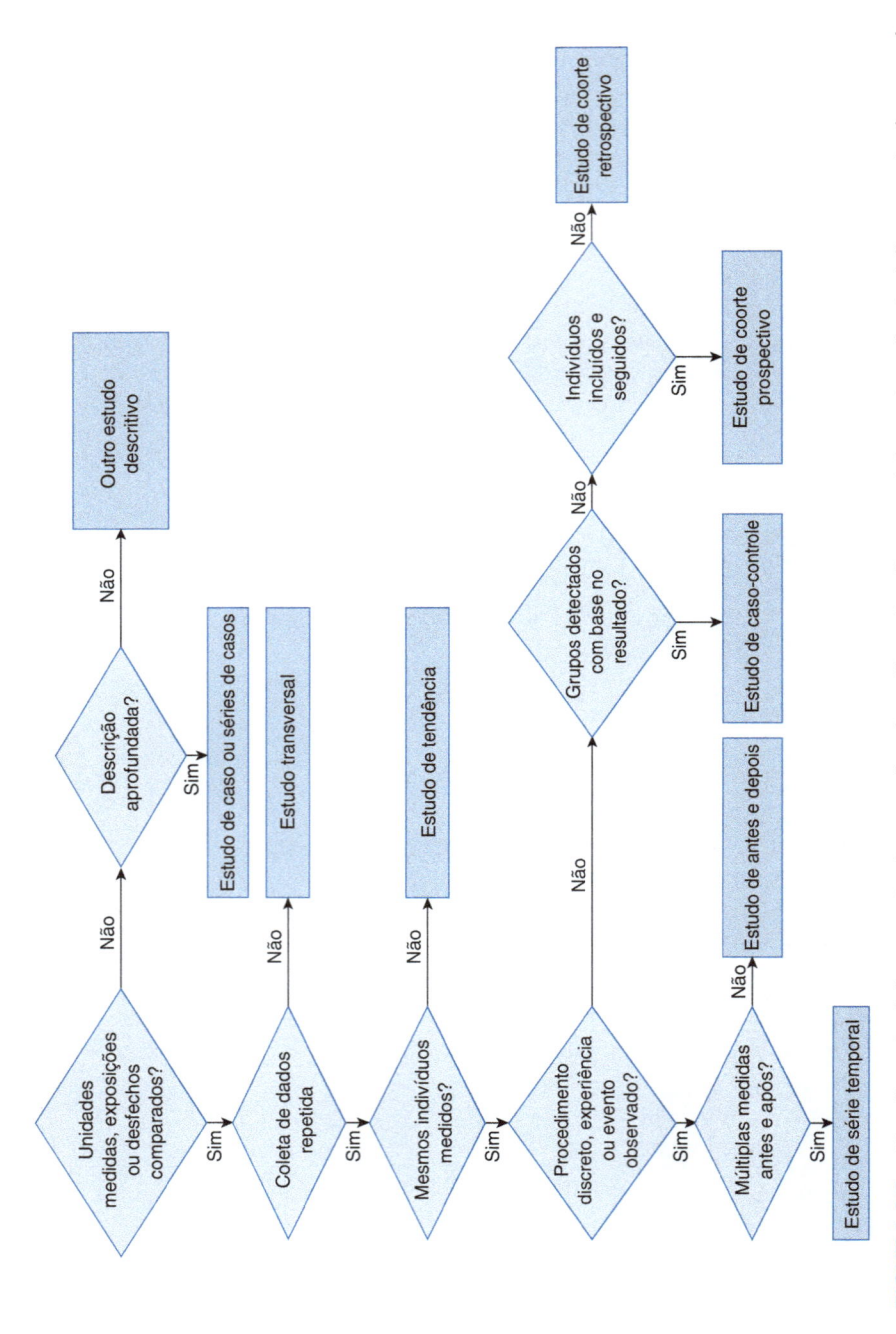

FIGURA 8.3 Algoritmo de delineamento de pesquisa descritiva: algoritmo geral de exploração de delineamento de pesquisas descritivas.

3. **Algoritmo de delineamento de pesquisa descritiva:** os delineamentos de pesquisa descritiva também seguem padrões similares com base na pergunta inicial da pesquisa feita pelos pesquisadores. Dependendo do modo como uma pergunta de pesquisa é estruturada ou colocada e das ferramentas disponíveis, é possível construir um estudo transversal, estudo de caso ou estudo caso-controle (Fig. 8.3).

9

GLOSSÁRIO DE TERMOS

Análise de sobrevida: parte da estatística que lida com a análise do tempo decorrido até um evento, como a morte. A análise de sobrevida se distingue por enfatizar a estimativa do curso temporal dos eventos por lidar com a censura.

Censura: quando a variável resposta é o tempo decorrido até o acontecimento de um evento, os indivíduos que não são acompanhados por um período suficientemente longo para observar a ocorrência do evento têm seus tempos de evento censurados no momento do último seguimento. Esse tipo de censura é a censura à direita. Exemplificando, em um estudo de seguimento, os pacientes incluídos no estudo durante o último ano serão seguidos por, no máximo, um ano. Então, esses indivíduos têm seus tempos até o evento censurados em, no máximo, um ano. A censura à esquerda determina que o tempo até o evento esteja dentro de um intervalo específico. A maioria das análises estatísticas considera que a causa da censura de um indivíduo independe daquilo que faz esse indivíduo ter um evento. Quando a situação é diferente, considera-se que existe censura informativa. Exemplificando, se um indivíduo tem um fármaco descontinuado em decorrência da falha do tratamento, o tempo de censura reflete indiretamente um resultado clínico ruim e a consequente análise terá um viés.

Coeficiente de correlação: o coeficiente de correlação r é uma medida da proximidade de um gráfico de dispersão em relação a uma linha reta. O coeficiente de correlação está sempre entre − 1 e +1. Para calcular o coeficiente de correlação de uma lista de pares de medidas (X,Y), primeiro transformamos X e Y individualmente em unidades-padrão. Em seguida, são multiplicados os elementos correspondentes dos pares transformados, para obter uma lista de números única. O coeficiente de correlação é a média desta lista de produtos. Esta página contém uma ferramenta que lhe permitirá gerar dados bivariados com qualquer coeficiente de correlação que desejar.

Confiabilidade: grau de estabilidade exibido quando uma medida é repetida sob condições idênticas. A confiabilidade refere-se à replicabilidade dos resultados obtidos por um dado procedimento quantitativo.

Confusão: quando as diferenças existentes entre os grupos tratamento e controle, além do próprio tratamento, produzem diferenças de resposta indistinguíveis do efeito do tratamento, estas diferenças entre os grupos são confundidas com o efeito do tratamento (quando existe algum). Exemplificando, estatísticos proeminentes questionaram se as diferenças existentes entre indivíduos que levam outros indivíduos a se tornarem fumantes e outros não (em vez do ato de fumar em si) eram responsáveis pela diferença observada nas frequências com que os fumantes e não fumantes contraíam várias doenças. Se este fosse o caso, tais fatores seriam confundidos com o efeito do tabagismo. A confusão tende bastante a afetar os estudos e experimentos observacionais não randomizados. A confusão tende a diminuir com a randomização.

Curva ROC (característica operacional do receptor): *plot* de sensibilidade *vs.* (1 – especificidade) de todas as possíveis dicotomizações de um marcador, uma que os pontos de corte são variáveis. A área sob a curva ROC é uma forma de resumir a discriminação diagnóstica de um teste. Quanto mais próximo de 1 estiver este valor, melhor será o teste para discriminar os estados doente e não doente.

***Design* paralelo:** um estudo clínico de *design* (delineamento) paralelo compara os resultados de um tratamento em dois grupos separados de pacientes. O tamanho da amostra calculado para um *design* paralelo pode ser usado para qualquer estudo em que dois grupos estejam sendo comparados.

Desvio-padrão (DP): medida da variabilidade (espalhamento) das medidas entre os indivíduos. Em uma distribuição normal, espera-se que a média ± 1,96 DPs englobe 95% da distribuição da medida. O DP é igual à raiz quadrada da variância.

Distribuição normal: distribuição simétrica, em forma de sino, que é mais útil para aproximar a distribuição de estimadores estatísticos. Também denominada distribuição gaussiana. Para uma distribuição normal, a probabilidade de uma medida estar incluída em ± 1,96 DPs de média é 0,95.

Duplo-cego: em um experimento duplo-cego, nem os participantes nem os pesquisadores que os avaliam sabem quem pertence ao grupo do tratamento e quem está no grupo-controle. Isto suaviza o efeito placebo e protege contra interferências conscientes e inconscientes a favor ou contra o tratamento, por parte dos avaliadores.

Ensaio clínico randomizado (ECR): experimento epidemiológico em que os indivíduos de uma população são aleatoriamente alocados para grupos, frequentemente denominados grupos "de estudo" e "controle", a fim receberem ou não uma intervenção ou procedimento terapêutico ou preventivo experimental.

Erro aleatório: erro causado pela amostragem de um grupo, e não pelo conhecimento do valor verdadeiro de uma quantidade (p. ex., pressão arterial média) para o grupo inteiro (p. ex., homens sadios com mais de 80 anos de idade). Também é possível falar em erros aleatórios nas medidas isoladas de indivíduos isolados (p. ex., erro).

Erro tipo I: tipo de erro que ocorre quando a hipótese nula é rejeitada erroneamente, sendo de fato verdadeira.

Erro tipo II: tipo de erro que ocorre quando a hipótese nula não é rejeitada, sendo de fato falsa.

Erro-padrão: DP de um estimador estatístico. Exemplificando, o DP de uma média é chamado erro-padrão da média e é igual ao DP das medidas individuais dividido pela raiz quadrada do tamanho da amostra. Os erros-padrão descrevem a precisão de um resumo estatístico e não a variabilidade entre os indivíduos. Os erros-padrão tendem a zero, conforme o tamanho da amostra $\rightarrow \infty$.

Especificidade: percentual de pacientes sem doença que apresentam resultado de teste negativo para a doença em questão.

Estudo cruzado: estudo que compara os resultados de dois tratamentos em um mesmo grupo de pacientes. O tamanho da amostra calculado para um estudo cruzado também pode ser usado para um estudo que compare o valor de uma variável no pós-tratamento com seu valor no pré-tratamento. O desvio-padrão (DP) da variável resultado é expresso como DP do paciente ou DP da diferença. No primeiro caso, o DP é das observações repetidas tomadas de um mesmo indivíduo, enquanto no segundo caso o DP é da diferença entre duas medidas tomadas de um mesmo indivíduo.

Estudo de caso-controle: estudo em que os indivíduos são selecionados com base em seus desfechos e, em seguida, as exposições (tratamentos) são estabelecidas. Exemplificando, para avaliar a associação existente entre raça e mortalidade operatória, poderíamos selecionar todos os pacientes que morressem após uma cirurgia cardíaca aberta em um determinado ano e, então, selecionar um número igual de pacientes sobreviventes, pareando diversas variáveis que não a raça, de modo a igualar (controlar) suas distribuições entre os casos e não casos.

Estudo de coorte: estudo em que são incluídos todos os indivíduos que atendem a determinados critérios de inclusão. Os critérios de inclusão são definidos ao nível basal, como no momento do diagnóstico ou tratamento.

Estudo de fase I: estudos realizados para obter informação preliminar sobre a dose, absorção, metabolismo e relação entre toxicidade e esquema de dosagem de um tratamento.

Estudo de fase II: estudos realizados para determinar a viabilidade e estimar a atividade e a segurança do tratamento em doenças (ou, por exemplo, em tipos de tumores) para as quais esse tratamento parece ser promissor. Gera hipóteses a serem testadas posteriormente.

Estudo de fase III: estudo comparativo para determinar a efetividade e a segurança de um novo tratamento em relação à terapia padrão. Estes estudos, com frequência, representam a prova mais rigorosa da eficácia do tratamento (ensaios centrais) e constituem o último estágio antes do licenciamento do produto.

Estudo de fase IV: estudos pós-comercialização de produtos licenciados.

Estudo observacional: estudo em que nenhuma condição experimental (p. ex., tratamento) é manipulada pelo pesquisador.

Estudo prospectivo: estudo que é primeiramente delineado para, então, os indivíduos serem incluídos. Os estudos prospectivos costumam ser caracterizados pela coleta de dados intencional.

Estudo retrospectivo: delineamento de pesquisa usado para testar hipóteses etiológicas, em que as inferências acerca da exposição a fator(es) causal(is) putativo(s) derivam de dados relacionados às características dos indivíduos estudados ou a eventos/experiências passadas desses indivíduos.

Estudo transversal: estudo que envolve a observação de uma população inteira ou de um subconjunto representativo, em um determinado momento. Um exemplo seria medir os níveis de colesterol em indivíduos que caminham diariamente, em dois grupos de faixa etária (acima e abaixo de 40 anos), e comparar os valores obtidos aos níveis de colesterol medidos em indivíduos da mesma faixa etária que não caminham. É possível, até mesmo, criar subgrupos com base no sexo. Entretanto, os níveis de colesterol anteriores e futuros não deveriam ser considerados, pois podem cair fora do intervalo. Apenas os níveis de colesterol medidos em um determinado momento seriam considerados.

Falso-negativo: resultado falso-negativo do teste de um indivíduo que apresenta o atributo pelo qual o teste é realizado. Rotular um indivíduo como saudável, quando está doente, após realizar triagem para detecção de doença.

Falso-positivo: resultado positivo no teste de um indivíduo que não apresenta o atributo pelo qual o teste está sendo realizado. Rotular um indivíduo como doente, quando está sadio, após realizar triagem para detecção de doença.

Hazard ratio: a razão das *hazard ratio* em um único momento *t*, para dois tipos de indivíduos. As *hazard ratio* estão incluídas no intervalo (0, ∞) e frequentemente são uma forma eficiente de resumir os efeitos relativos de dois tratamentos em um momento *t* específico. Similar a razão de chance, a *hazard ratio* é aplicável a qualquer nível de probabilidade de resultado para o grupo de referência. Note que uma *hazard ratio* difere do risco relativo, pois este consiste na razão de duas probabilidades simples e não na razão de duas taxas.

Incidência: taxa de ocorrência de casos novos de uma doença ou condição em uma população de risco, durante um determinado período (geralmente, de 1 ano).

Intervalo de confiança (IC): um IC para um parâmetro consiste em um intervalo aleatório construído a partir de dados, de modo que a probabilidade desse intervalo conter o valor verdadeiro do parâmetro pode ser especificada antes de os dados serem coletados. Um IC 95% é uma estimativa da certeza. Implica a existência de uma certeza de 95% de que o valor verdadeiro está dentro de um determinado intervalo. Um IC estreito é bom. E um IC englobando 1 coloca em dúvida a validade do resultado.

Média: média aritmética. É a soma de todos os valores dividida pelo número de observações. A média pode ser altamente influenciada pelos *outliers*.

Mediana: o "valor do meio" de uma lista. É o menor número em que pelo menos metade dos números da lista é menor ou igual a ele. Se a lista tem um número ímpar de entradas, a mediana é a entrada do meio da lista, depois que a lista é organizada em ordem crescente. Quando a lista tem um número par de entradas, a mediana é o menor dos dois números do meio, após a organização da lista. A mediana pode ser estimada a partir de um histograma, encontrando o menor número em que a área abaixo do histograma, à esquerda desse número, é igual a 50%.

Metanálise: é um tipo de revisão sistemática que emprega métodos estatísticos rigorosos para sintetizar quantitativamente os resultados de múltiplos estudos similares.

Moda: para listas, a moda é o valor mais comum (frequente). Uma lista pode ter mais de uma moda. No caso dos histogramas, uma moda é um valor máximo relativo ("bump").

Número necessário para o dano: o número de pacientes que precisam receber uma intervenção, em vez da alternativa, para que um paciente adicional manifeste um evento adverso.

Número necessário para tratar (NNT): o número de pacientes que precisam receber uma intervenção, em vez da alternativa, para que um paciente adicional seja beneficiado. O NNT é calculado do seguinte modo: 1/RAR. Exemplo: se o RAR (redução absoluta do risco) é igual a 4%, o NNT = $(1/4)\% = (1/0,04) = 25$.

Poder: probabilidade de um estudo clínico apresentar um resultado significativo (positivo), ou seja, ter um valor P inferior ao nível de significância especificado (em geral, 5%). É a probabilidade calculada considerando a força de associação ou a diferença do tratamento igual à diferença mínima detectável. O poder de um teste contra uma hipótese alternativa específica é a chance de o teste rejeitar corretamente a hipótese nula quando a hipótese alternativa for verdadeira. O poder aumenta com o tamanho da amostra.

Precisão: grau de ausência de erro aleatório. A precisão pode ser quantificada pela largura de um IC e, às vezes, por um DP do estimador (erro-padrão). Para os ICs, calcula-se uma "margem de erro", de modo que o intervalo quotado apresenta certa probabilidade de conter o valor verdadeiro (p. ex., diferença da média da população). Segundo esta definição, a precisão aumenta de modo linear com o aumento do tamanho da amostra. Ao ser definida na escala original de medida e não ao quadrado (i.e., quando o erro-padrão ou a largura de um IC é usada), a precisão sofre um aumento equivalente à raiz quadrada do tamanho da amostra.

Prevalência: número de pessoas de uma população que apresentam uma doença ou condição específica em um dado momento, geralmente expresso como razão do número de pessoas afetadas em relação à população total.

Probabilidade pós-teste: probabilidade de doença após a realização de um teste.

Quartis: 25° e 75° percentis e a mediana. Os três valores dividem as distribuições variáveis em quatro intervalos contendo o mesmo número de observações.

Randomização: alocações aleatórias de indivíduos para grupos, como grupos de regime experimental e regime-controle. Junto aos limites de variação ao acaso, a randomização deve fazer os grupos-controle e experimental serem similares no início da investigação.

Razão de verossimilhança (RV): uma RV > 1 indica uma probabilidade de doença aumentada, enquanto uma RV < 1 indica uma probabilidade de doença diminuída. Os testes mais úteis geralmente apresentam uma razão < 0,2 ou > 5.

Redução do risco absoluto (RAR): diferença aritmética de risco ou desfechos entre os grupos de tratamento e controle. Por exemplo, se a taxa de mortalidade é igual a 30% no grupo-controle e 20% no grupo de tratamento, a RAR é igual a 30 – 20 = 10%.

Redução do risco relativo (RRR): diferença percentual de risco ou resultados entre os grupos tratamento e controle. Exemplo: se a taxa de mortalidade é igual a 30% entre os participantes-controle, e 20% no grupo tratamento, a RRR é igual a (30 – 20)/30 = 33%.

Regressão linear: a regressão linear ajusta uma reta a um gráfico de dispersão, de modo a minimizar a soma dos quadrados dos resíduos. A reta de regressão linear resultante, aliada aos DPs das duas variáveis ou de seus coeficientes de correlação, pode ser um resumo razoável de um gráfico de dispersão, se este apresentar um formato grosseiro de "bola de futebol". Nos demais casos, é um resumo fraco. Se estivermos fazendo a regressão linear da variável Y em relação à variável X, e se Y for representada graficamente no eixo vertical, enquanto X é representado no eixo horizontal, a reta de regressão atravessa o ponto das médias e exibe uma inclinação igual ao produto do coeficiente de correlação pelo DP de Y dividido pelo DP de X.

Revisão sistemática: tipo de artigo de revisão que usa métodos explícitos para analisar de modo abrangente e sintetizar qualitativamente a informação fornecida por múltiplos estudos.

Risco relativo (RR): razão entre o risco de doença ou morte entre os indivíduos expostos e o risco entre os indivíduos não expostos. Com este uso, é sinônimo de razão de risco.

Sensibilidade: percentual de pacientes com doença que apresentam resultado de teste positivo para a doença em questão.

Tamanho da amostra: número de pacientes ou unidades experimentais requerido para o estudo.

Tempo decorrido até um evento: o resultado do estudo é um tempo, como o tempo até a morte ou recidiva. A recidiva não é observada em alguns pacientes e estas observações são ditas censuradas.

Validade externa: um estudo é externamente válido ou generalizável quando pode produzir inferências não enviesadas sobre uma determinada população-alvo (além dos indivíduos participantes do estudo).

Validade interna: os grupos índice e comparativo são selecionados e comparados de modo que as diferenças observadas entre ambos, quanto às variáveis dependentes estudadas, à parte do erro de amostragem, são atribuíveis somente ao efeito hipotético que está sendo investigado.

Validade, estudo de: grau de justificativa de uma inferência extraída de um estudo, em especial as generalizações que se estendem para além da amostra do estudo, considerando-se os métodos do estudo, a representatividade da amostra do estudo e a natureza da população a partir da qual a inferência foi realizada.

Valor P (probabilidade): a probabilidade de um teste estatístico ser tão ou mais extremo do que o observado, se a hipótese nula fosse verdadeira. A letra P seguida da abreviação *n.s.* (não significativo) ou de um número é uma afirmação da probabilidade de a diferença observada poder ter ocorrido ao acaso, se os grupos forem realmente parecidos. Na maioria dos trabalhos biomédicos e epidemiológicos, considera-se suficientemente improvável que um resultado de estudo com valor de probabilidade inferior a 5% ($P < 0,05$) ou a 1% ($P < 0,01$) tenha ocorrido ao acaso, para justificar a designação "estatisticamente significativo".

Variável categórica: uma variável cujo valor varia ao longo das categorias, como {vermelho, verde, azul}, {masculino, feminino}, {Arizona, Califórnia, Montana, Nova York}, {baixo, alto}, {asiático, afro-americano, caucasiano, hispânico, americano nativo, polinésio}, {liso, encaracolado}, e assim por diante. Algumas variáveis categóricas são ordinárias. A distinção entre variáveis categóricas e variáveis qualitativas é um tanto confusa. C.f. variável quantitativa.

Variável contínua: uma variável quantitativa é contínua quando seu conjunto de possíveis valores é incontável. São exemplos: a temperatura, a altura exata e a idade exata (incluindo partes de um segundo). Na prática, é impossível medir uma variável contínua com precisão infinita, portanto as variáveis contínuas, às vezes, são aproximadas por variáveis discretas. Uma variável X aleatória também é chamada contínua se seu conjunto de possíveis valores for incontável, sendo que a chance de essa variável assumir um valor particular qualquer é igual a zero (em símbolos: se $P(X = x) = 0$ para qualquer número x real). Uma variável aleatória é contínua, se, e somente se, sua função de distribuição de probabilidade cumulativa for uma função contínua (uma função sem saltos).

Variável dependente: em regressão, é a variável cujos valores são supostamente explicados por alterações ocorridas em outra variável (a variável independente ou explicatória). Com frequência, a variável dependente é regredida com base na variável independente.

Variável independente: em regressão, a variável que supostamente explica a outra. O termo é sinônimo de *variável explicatória*. Frequentemente, a regressão da "variável dependente" é feita com base na "variável independente". A variável independente nem sempre é escolhida com clareza e costuma ser representada graficamente no eixo horizontal. *Independente*, neste contexto, tem um significado diferente de *estatisticamente independente*.

Variável ordinária: variável cujos possíveis valores apresentam uma ordem natural, como {curto, médio, longo}; {frio, morno, quente}; ou {0, 1, 2, 3,...}. Em contrapartida, uma variável cujos possíveis valores são do tipo {liso, encaracolado} ou {Arizona, Califórnia, Montana, Nova York} não seria naturalmente ordinária. A aritmética com os possíveis valores de uma variável ordinária não faz, necessariamente, sentido, todavia faz sentido dizer que um possível valor é maior que outro.

Viés de aferição: erro sistemático que surge da medição (ou classificação) inacurada de indivíduos, com relação às variáveis do estudo.

Viés de amostragem: a menos que o método de amostragem garanta que todos os membros do "universo" ou populações de referência tenham uma chance conhecida de inclusão na amostra, a ocorrência de viés é uma possibilidade.

Viés de memória: erro sistemático causado por diferenças na acurácia ou integridade da lembrança de experiências ou eventos prévios.

Viés de relato: supressão seletiva ou revelação de informação, como história anterior de doença sexualmente transmissível.

Viés de resposta: erro sistemático causado por uma diferença de características entre indivíduos escolhidos ou voluntários para a participação em um estudo e os indivíduos não escolhidos nem voluntários.

Viés de seleção: erro causado por diferenças sistemáticas nas características de indivíduos selecionados e não selecionados para o estudo. O viés de seleção também invalida as conclusões generalizadas de levantamentos que incluíssem apenas voluntários oriundos de uma população saudável.

ÍNDICE

Os números de páginas seguidos de *f* e *t* representam figuras e tabelas, respectivamente